L'ARABE DU FUTUR EST ÉDITÉ
DANS LES LANGUES SUIVANTES

allemand	KNAUS	*Munich*
américain	METROPOLITAN BOOKS	*New-York*
anglais	TWO ROADS	*Londres*
brésilien	INTRÍNSECA	*Rio de Janeiro*
catalan	SALAMANDRA	*Barcelone*
coréen	HUMANIST	*Séoul*
croate	FIBRA	*Zagreb*
danois	FORLAGET COBOLT	*Copenhague*
espagnol	SALAMANDRA	*Barcelone*
finnois	WSOY	*Helsinki*
français	ALLARY	*Paris*
italien	RIZZOLI LIZARD	*Milan*
japonais	KADENSHA	*Tokyo*
néerlandais	DE GEUS	*Breda*
norvégien	MINUSKEL FORLAG	*Oslo*
polonais	KULTURA GNIEWU	*Varsovie*
portugais	LEYA	*Alfragide*
roumain	EDITURA ART	*Bucarest*
russe	BOOM KNIGA	*Saint-Pétersbourg*
serbe	SYSTEMS COMICS	*Belgrade*
slovène	LUD LITERATURA	*Ljubljana*
suédois	COBOLT FÖRLAG	*Trosa*
tchèque	BAOBAB	*Prague*

Riad Sattouf

L'ARABE DU FUTUR 2

Une jeunesse au Moyen-Orient (1984-1985)

**

Allary Éditions

Chapitre 5

Je m'appelle Riad. En 1984, j'avais 6 ans et j'étais toujours un homme éblouissant.
Cheveux blonds d'actrice californienne qui volent dans le vent
Air un peu trop sûr de son charme
Voix de petite fille
Doit se retenir très fort de pleurer quand il tombe par terre
Lacets faits par sa maman chérie
Nous étions retournés en famille vivre au village de Ter Maaleh, près de Homs.
Ma grand-mère avait eu un problème au dos et ne pouvait plus trop marcher.
Je l'amène aux WC
Elle restait pliée en deux
Anas et Moktar, les cousins qui voulaient me tuer, semblaient avoir disparu.
Ahé ahé ahé
Ils gardent les chèvres comme tous les bons garçons...
Ils rentrent tard...
Ils aident la famille...
Maman, on t'a amené ces oranges de Homs...
Nooon, garde-les, je les mérite pas...
Allez prends, c'est pour toi...
Haaa mais quel bon fils alors...
Ça me fait plaisir...

Sinon, rien n'avait changé.
Je jouais toute la journée aux Lego que j'avais rapportés de France.
Ma mère brodait une sorte de grande tapisserie avec des couleurs vives. Ce travail semblait sans fin.
Elle faisait de tout petits mouvements
Il restait beaucoup à faire pour la terminer
Le dessin était bizarre, il ne représentait rien de particulier.
Je l'ai commencé en Libye, faut que je le termine...
C'est un tableau de Picasso...
J'aime pas trop mais ça passe le temps...
Picasso, c'est marrant, quand il était jeune, il dessinait très bien. Et en vieillissant, il s'est mis à faire des cubes... Ça devait être plus facile...
En tout cas, une chose est sûre, tu dessines mieux que lui!
Ma mère semblait très concentrée sur son travail, puis, au bout d'un moment, je voyais ses yeux se fermer...
Chaque oeil se mettait à regarder dans une direction différente
... et elle s'endormait sur le canapé pour une heure ou deux, en attendant le retour de mon père.

Mon frère était trop petit pour jouer avec moi et, de toute façon, j'étais jaloux de lui.
"Oh Yahya, il ne pleure jamais, c'est pas comme Riad qui pleurait tout le temps, oh il est si gentil ce bébé"
Incroyablement mignon
Complètement débile oui !
Je l'ignorais la plupart du temps
Je croisais toujours mon père par surprise.
Je ne l'entendais jamais rentrer
FFF
Il retenait sa respiration en regardant le mur
Elle dort ta mère ?
Oui !
Alors on va la laisser dormir.
Mes cousins Waël et Mohamed n'étaient pas là dans la journée. Eux aussi gardaient les chèvres.
Moi, je serais d'accord pour que t'ailles avec eux ! Mais c'est ta mère qui ne veut pas !
Il est trop petit !
L'année prochaine !
Le soir, ils rentraient trop tard pour que nous puissions jouer.
On peut pas venir, papa va arriver !

Il y avait des coupures de courant tous les jours. Elles duraient en moyenne cinq ou six heures.
Elle est très bien cette lampe à huile que tu as ramenée de France !
Elle était à mon arrière-grand-mère !
C'est très luxueux, c'est du cristal ! On trouve pas cette forme de lampe, en Syrie !
Odeur d'huile brûlée
Quand j'étais petit, il n'y avait pas du tout d'électricité dans le village... On se réveillait avec le soleil et on se couchait avec lui...
On pourrait acheter un groupe électrogène quand même...
On est plus au 19e siècle...
ÇA VA PAS LA TÊTE ? C'EST INTERDIT ! SI ON SE FAIT DÉNONCER, JE RISQUE LA PRISON !
Tu parles, c'est parce que c'est cher, oui !
J'ai plus tant d'argent que ça ! J'ai dû payer le douanier 4000 dollars pour pouvoir rentrer ! Il me reste plus que 26 000...
EH oui !
Faut garder le sens des priorités, si on veut avoir assez pour lancer la construction de la villa...
Je vais passer maître bientôt, je serai mieux payé...
On y voit très bien avec cette lampe ! On dirait que c'est le jour !

Allez, dis-moi, Riad, comment tu voudrais qu'elle soit notre villa? Tu veux une chambre plus grande?
Oui! Je veux une chambre pour moi, une chambre sans Yahya!
Qu'est-ce que tu racontes? Tu veux abandonner ton frère? Tu es l'aîné, tu dois le protéger!
Vous serez tous les deux dans la même chambre!
Tu es l'aîné!
Tu as des droits en plus, mais aussi des DEVOIRS envers tes frères et soeurs.
Tu dois les surveiller et vérifier qu'ils ne fassent pas des bêtises... LES PROTÉGER!
L'AÎNÉ, C'EST SACRÉ CHEZ LES ARABES!
Ça te va bien de dire ça avec ton frère aîné qui t'a tout volé...
Il m'a volé mais je sais qu'il m'aime! Il a payé pour mes études!
Malgré tout, c'est mon grand frère chéri!
Quand tu sauras lire et écrire, tu apprendras à ton frère! Tu lui apprendras tout ce que tu sais!
Et ça va arriver vite! Tu sais qu'après-demain, y a L'ÉCOLE QUI COMMENCE!
Je n'ai pas dormi de la nuit.
J'avais complètement oublié!

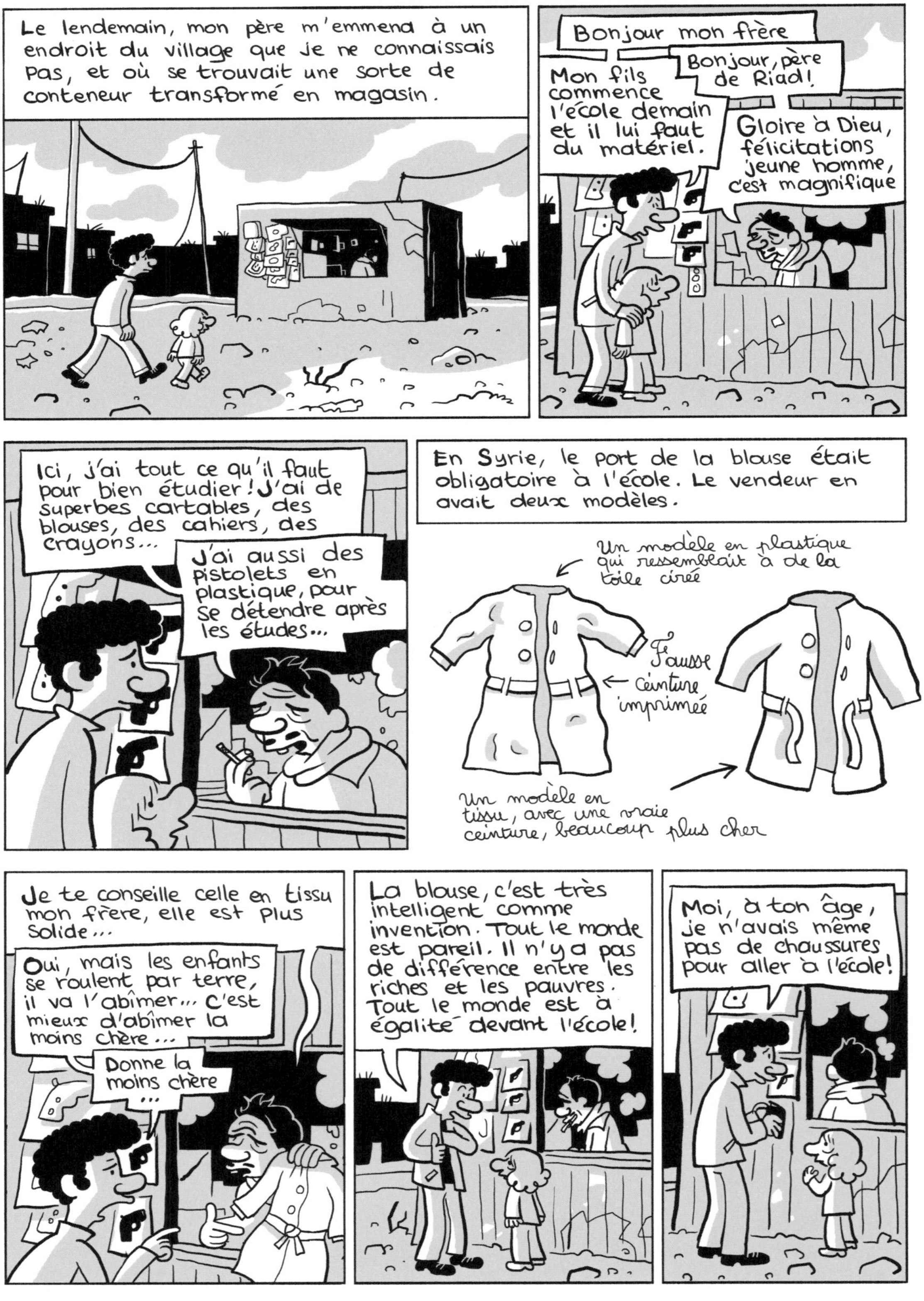
Le lendemain, mon père m'emmena à un endroit du village que je ne connaissais pas, et où se trouvait une sorte de conteneur transformé en magasin.
Bonjour mon frère
Bonjour, père de Riad!
Mon fils commence l'école demain et il lui faut du matériel.
Gloire à Dieu, félicitations jeune homme, c'est magnifique
Ici, j'ai tout ce qu'il faut pour bien étudier! J'ai de superbes cartables, des blouses, des cahiers, des crayons...
J'ai aussi des pistolets en plastique, pour se détendre après les études...
En Syrie, le port de la blouse était obligatoire à l'école. Le vendeur en avait deux modèles.
Un modèle en plastique qui ressemblait à de la toile cirée
Fausse ceinture imprimée
Un modèle en tissu, avec une vraie ceinture, beaucoup plus cher
Je te conseille celle en tissu mon frère, elle est plus solide...
Oui, mais les enfants se roulent par terre, il va l'abîmer... C'est mieux d'abîmer la moins chère...
Donne la moins chère ...
La blouse, c'est très intelligent comme invention. Tout le monde est pareil. Il n'y a pas de différence entre les riches et les pauvres. Tout le monde est à égalité devant l'école!
Moi, à ton âge, je n'avais même pas de chaussures pour aller à l'école!

Je te mets aussi la collerette et le béret réglementaires des camarades ?
Non, ça ira. Juste la blouse ! Fais voir les cartables.
Tout de suite, doktor !
J'ai ce superbe modèle de grand luxe. Regarde, les fermoirs sont en fer, et il y a deux poches devant... fabriqué en Chine, par Dieu, la meilleure qualité.
Hm.
Regarde cette modernité : il est emballé dans un sac plastique.
Mon père sortit son argent et le type refusa.
Non doktor, c'est pour moi !
Allez prends, ne fais pas l'idiot !
Par Dieu JAMAIS !
Le manège dura deux vraies minutes.
Prends cet argent !
TU VEUX ME DÉSHONORER ! C'EST CADEAU !
C'EST TOI QUI ME DÉSHONORES ! PRENDS-LE TOUT DE SUITE !
Puis il finit par accepter.
Moi, j'avais pas de cartable, quand j'étais petit ! Je portais mes livres dans la main gauche, et mon crayon dans la droite...
Il recomptait quand même
Monsieur Riad, attends !
J'ai un cadeau magique pour toi ! Grâce à Dieu, tu deviendras un grand homme plus tard par tes études, et alors, tu te souviendras de moi.
Tiens.
C'était une règle avec un hologramme.
On voyait le drapeau syrien sous un angle...
سوريا
... et Hafez Al-Assad sous un autre.

ET VOILÀ! MAGNIFIQUE!
On dirait un sac poubelle cette blouse, y en avait pas d'autres?!
Comment ça un sac poubelle? Et si il l'abîme? On sera bien contents de pas l'avoir payée cher!
Allez, fais un tour de maison, montre-nous.
Mon fils qui va à l'école, j'en reviens pas! Toute ma vie j'ai rêvé de ce moment!
Tu vas bien travailler, et tu vas devenir docteur en médecine!
En Syrie, les facultés de médecine sont les meilleures du monde.
C'est ce que je voulais faire, mais je m'évanouis quand je vois du sang...
Toi tu n'auras pas ce problème.
Quand ils te verront, les gens diront "Tiens, voilà Riad le grand docteur, il est célèbre et respecté."
Docteur, c'est ce qu'il y a de mieux. Tu peux mettre "docteur" devant ton nom, sur ton courrier... Les gens, ils t'appellent "docteur" au lieu de ton prénom... Tout le monde aime les docteurs!

Tu feras ce que tu veux...
NON il fera pas ce qu'il veut !
Si on le laisse faire ce qu'il veut, il voudra jouer toute sa vie, et il finira vagabond !
Moi, je veux faire docteur, comme papa !
VOILÀ !
N'écoute pas ta mère.
"Docteur Riad Sattouf, le grand médecin célèbre..."
Je racontai à mon père que j'avais peur d'aller à l'école, parce que mes cousins Mohamed et Waël m'avaient dit que le professeur voulait me taper pour me punir d'avoir été absent l'année dernière.
Ah oui ? Eh bien je vais te donner quelque chose qui va t'aider.
Voilà du papier blanc et des crayons de l'université de Damas.
C'est marqué "République arabe syrienne, université de Damas", juste là.
(Je les ai gratuitement à mon travail)
Si quelqu'un t'embête, montre-lui ça, et dis-lui "Mon père travaille à l'Université, il est docteur, regardez ce crayon et ce papier."
En voyant ça, personne ne te tapera, crois-moi.

Le lendemain matin, ma mère me réveilla tôt.
Je bus un grand bol de Milo, une sorte de boisson chocolatée.
On va à l'école ensemble ?
Moi je peux pas t'emmener, je dois m'occuper de ton frère...
Ton père dort encore... Je crois qu'il n'avait pas prévu de t'accompagner...
...habille-toi et va lui demander...
Terreur soudaine
Papa!
Tu dors?
Pssst!
Bruit du plastique de la blouse
CRR
CRR
Mgnn
ZZZ
Papa! Tu veux bien m'emmener à l'école? Je sais pas comment on fait pour y aller!
Mais si, tu sais! Tu descends la rue, et t'y es.
Vas-y tout seul, t'es un homme maintenant.
Moi je dors.
Je me mis à pleurer et il finit par se lever. Ma mère insista pour qu'il m'emmène...
Aucun enfant n'est accompagné par ses parents, ici!
Il faut grandir!
...C'était quand même mon premier jour d'école.
Snfff

Mon père marchait devant moi, comme s'il avait honte qu'on soit vus ensemble.
La voilà, l'école !
Vas-y maintenant !
Au fur et à mesure que j'avançais vers le bâtiment, je réalisais qu'on était très en retard et que tout le monde était déjà rentré.
Mes jambes tremblaient
Ha, le voilà, ce "Sattouf"... non seulement il n'est pas venu à l'école pendant un an...
... mais en plus il est en retard dès le premier jour ! Allons, regarde-moi et ACCEPTE LA MORT.
Je me tournai alors vers mon père, qui me regardait de loin, et me mis à Pleurer.
AHiiiiiN
Hiiiiii
Finalement, mon père m'emmena chez le directeur ...
Tu comprends les mots que je dis ?
Oui
"oui monsieur."
... Qui m'emmena à ma classe.
... alors ne sois pas en retard demain et, en attendant, bon travail.

Un retardataire : Al-Sattouf.
Allez, va t'asseoir, trouve-toi une place.

Je me suis dirigé vers le fond. Il n'y avait plus une seule place de libre nulle part.
Les élèves portaient tous leur béret et une collerette en plastique autour du cou
Ils étaient six par table de quatre
Deux enfants se sont serrés, et j'ai pu m'asseoir au bout d'un banc.
Au moins un milliard de cheveux
Comment tu t'appelles ?
Riad!
Riad, où sont ta collerette et ton béret de Patriote ?
Euh j'en ai pas...
Ils sont obligatoires. Tu les auras demain, d'accord ?
Parfum à la rose
Soudain, des enfants se sont mis à discuter à une table, devant.
Aloooors ? Qui parle, là ?
CLAP
CLAP
Personne n'a répondu.
Tendez vos mains.
?
?
?
CLAC
Plus personne ne parlait. On a entendu 6 "CLAC" très forts, accompagnés d'un cri à chaque fois.
CLAC
HIIII
CLAC
AÏIIIE
CLAC
HMPH
CLAC
KHH
CLAC
HIII
CLAC
HNNN

Je vais pas vous le répéter 50 fois. Mais ici, vous êtes là pour apprendre et travailler, pas pour discuter et faire n'importe quoi.
Celui qui ne m'obéit pas... celui qui ne fait pas ce que je dis...
Ensuite, elle nous a fait nous mettre debout, et a commencé à nous apprendre l'hymne national syrien.
Je vais chanter chaque phrase...
...et ensuite vous répéterez tous en même temps.
SALUT À VOUS DÉFENSEURS DE LA PATRIE !
Mettez une main sur le coeur pour le sentir battre
À VOUS !
SALUT À VOUS DÉFENSEURS DE LA PATRIE !
NOS NOBLES ESPRITS REFUSENT D'ÊTRE SOUMIS !
PLUS FORT !
NOS NOBLES ESPRITS REFUSENT D'ÊTRE SOUMIS !
LA TANIÈRE DU PANARABISME, UN SANCTUAIRE SACRÉ !
LA TANIÈRE DU PANARABISME, UN SANCTUAIRE SACRÉ !

Il faut chanter, toi là devant!
J'chante m'dame!
TES MAINS!
Si vous aimez Dieu, me tapez pas...
Je vous en supplie par Dieu
CLAC
Quand elle parlait, la maîtresse avait un visage apaisé et une voix très douce.
compris ?
Mais juste avant de frapper avec son bâton, elle se mordait la lèvre inférieure et son visage exprimait la haine absolue.
CLAC
Ensuite, elle reprenait son air très doux.
On va reprendre le premier couplet tous ensemble...
Nous avons passé la matinée à chanter l'hymne national.
Les terres de Syrie sont de hautes tours touchant les nuages dans le ciel! Une terre brillante aux soleils éclatants devient un autre ciel ou presque le ciel lui-même!
Le flottement des voeux et le battement du coeur sont sur ce drapeau qui a uni l'ensemble du pays! N'y a-t-il pas la noirceur de chaque œil, et l'encre du sang de chacun de nos martyrs ?
Notre esprit est noble et notre histoire est glorieuse et les âmes de nos martyrs sont de redoutables surveillants! Al-Walid est une part de nous comme Al-Rashid! Pourquoi ne prospérerions-nous pas et pourquoi ne construirions-nous pas ?
Puis la cloche a sonné.

C'était la récréation.
Salut Riad, je m'appelle Saleem, on était assis côte à côte !
Salut moi c'est Omar, j'étais à côté aussi !
Les grands étaient par là
Salut !
Kheu ! Kheu !
Chaussures en plastique moulé
Enchanté de faire votre connaissance !
Pareillement !
Grâce à Dieu, on ne s'est pas fait taper !
Ils étaient ultra-polis !
Ton cartable est magnifique !
Exceptionnel !
Kheu Kheu
Saleem et Omar étaient très gentils. Ils faisaient cinq kilomètres à pied chaque jour pour venir à l'école.
Il a des poches là et là : c'est très pratique, car tu peux bien ranger les crayons et les gommes.
Moi, j'utilise ce sac plastique ! C'est nul, mais ça porte les crayons !
Si Dieu le veut, mon père m'offrira un cartable aussi beau, un jour !
Kheu Kheu
Tu viens de Homs, avec des cheveux aussi brillants ?
Il y a des gens à Homs qui ont ce genre de cheveux.
Non, je viens de France !
France ? C'est où ? C'est près d'Alep ?
Soudain, surgissant par le côté, quelqu'un me mit un coup de poing dans le ventre !
KHHH !

Je n'arrivais plus à respirer !
Hey mon frère, pourquoi tu le tapes ?
Tsss !
QU'EST-CE QUE TU FOUS LÀ, JUIF ?
......
HH
C'est un juif. Sa mère est juive, il nous ont volé une maison qui était à nous !
Hein ?
?
C'est un fils de chien
Peut-être, mais le tape pas comme ça, j'étais en train de discuter avec lui !
QU'EST-CE QUE TU VEUX TOI, TU AIMES LES JUIFS ?
Mais comment veux-tu qu'il soit juif ? S'il était juif, ça fait longtemps que la glorieuse armée syrienne l'aurait arrêté et fusillé !
Le fait qu'il soit dans notre école prouve qu'il est pas juif ! C'est LOGIQUE.
M'en fous je vais le tuer quand même
À ce moment, un prof arriva et donna un énorme coup dans le dos d'Anas.
JE T'AI VU CHIEN ! TU TE BATS ? ALORS BATS-TOI AVEC MOI !
Il se mit à le frapper très fort. Saleem, Omar et moi en profitâmes pour disparaître.
Viens, faut partir, après c'est toi que le prof va taper !
On a couru et on s'est cachés derrière le point d'eau jusqu'à ce que la fin de la récréation soit sonnée.
C'est évident que t'es pas juif !
Tu l'es pas hein ?
Non non
Et on est retournés en cours.
TING TING TING
TING TING TING TING
Odeur de terre mouillée

Le soir...
Alors ? Comment c'était cette journée ?
Hm ?
Tu as bien APPRIS ?
Tu t'es bien mis devant ? Les meilleurs élèves sont toujours devant.
Ben y avait plus de place
Moi je me mettais toujours devant pour bien entendre tout ce que disait le maître.
Tu as eu des notes ?
Non...
Moi j'avais toujours 20/20. J'ai eu 20/20 jusqu'à ce que j'arrive en France.
Allez, un jour, j'ai eu 16/20, mais ça ne s'est produit qu'une fois.
Toi aussi, tu dois avoir 20 tout le temps.
Et l'instituteur, il est comment ? Est-ce qu'il tape les enfants ?
Non-non, c'est une femme, elle est gentille.
Je n'ai pas parlé des coups de bâton, car j'avais peur que mon père me trouve faible.
Tu vois ? De quoi tu avais peur ?
Tout se passe bien.

J'expliquai à mon père que la maîtresse m'avait demandé d'avoir une collerette et un béret pour le lendemain.
Je pensais pas que c'était obligatoire... Mais là il est trop tard pour aller les acheter... Tu les auras après-demain...
Mais... Mais si elle me tape avec son bâton parce que je les ai pas...
Je vois pas l'intérêt éducatif qu'il y aurait à taper les enfants pour une raison aussi nulle !
Si tu lui expliques gentiment que ton père n'a pas eu le temps d'aller au magasin, je t'assure qu'elle comprendra.
Je le suppliai de me laisser aller les acheter moi-même.
Au village, faire claquer sa bouche en fermant les yeux signifiait "non"
NT!
Ha ha, tu es mignon, tu es comme moi à ton âge, j'avais toujours peur de tout et de rien.
T'en fais pas, il t'arrivera rien.

Eh bien Riad? Où sont ta collerette et ton béret ?
Voici un crayon et un papier sur lesquels est écrit "Université arabe syrienne de Damas". Mon père est un grand professeur là-bas. Il m'a dit de vous dire qu'il les achètera demain.
Ah bon? C'est formidable, ça!
Tends ta main.
CLAC!
La douleur était incroyable! La main était comme déchirée.
Ça, c'était pour le béret et la collerette.
L'autre main maintenant.
HH
HH
CHLAC!
Elle tapait de toutes ses forces
Et ça, c'est pour l'université de Damas. Demain, tu auras la collerette et le béret des patriotes.

Alors que j'allais me mettre à pleurer, Omar me fit un petit signe.
Pssst! Riad!
Frotte tes mains l'une contre l'autre très vite! Après ça fait moins mal!
C'est mon frère qui me l'a dit!
Hey toi! Tu veux que je t'aide?
Tes mains!
CLAC!
CLAC
Omar s'est mis à frotter ses mains à toute vitesse.
Kheu Kheu!
HH
HH
FT
FT FT
Puis il a rougi et deux grosses larmes sont sorties de ses yeux.
Il souriait toujours
Comme Omar, de très nombreux enfants avaient des cicatrices sur les mains ou le visage.
La plupart étaient dues aux thés brûlants que les familles laissaient sur le sol…
Bon, on va recommencer l'hymne national pour voir si vous l'avez retenu depuis hier.
Chantez après moi!
… et que les bébés se renversaient sur eux.
SALUT À VOUS DÉFENSEURS DE LA PATRIE!

Quelque temps plus tard, nous sommes allés déjeuner chez la demi-soeur de mon père.
Elle vivait non loin de la rivière
Elle s'appelait Maha et semblait presque aussi âgée que ma grand-mère.
C'est ma demi-soeur chérie, c'est elle qui m'a élevé! Je l'aime presque autant que ma maman!
J'avais pris des crayons et des feuilles pour frimer
Elle sentait une odeur de sueur maternelle très rassurante.
Hi Hi Hi Hi
Qu'il est beau avec ses cheveux en or! Il ressemble à son père quand il était petit! C'est le même!
Le mari de Maha avait l'air très doux aussi. Il restait dans un coin et agitait son chapelet.
Ahhh c'est bien
Hhhh c'est bien Snff
Snfff ah oui c'est bien hhh
C'est bien hhh
Hhhh c'est bien,
C'est bien oui hhhh
Ils avaient un fils et deux filles à la maison.
Leila (elle louchait)
Aïcha
Ahmad
Ahmad était souriant et me regardait en claquant des doigts.
CLAK
CLAK
Sur le mur, au-dessus d'eux, il y avait une Photo de La Mecque, entourée d'une frise de petites pastilles en plastique irisé.
Je ne savais pas ce que c'était

Hadj Mohamed arriva dans la pièce : lui aussi était invité.
Va faire un bisou à ton oncle !
CH ! CH ! CH !
c'est bien
Il m'embrassa et vint s'asseoir près de Maha. Tout le monde bougea pour lui laisser la place.
Riad, tu veux venir voir ce qu'on fait à manger ?
Je suivis Leila dans une petite pièce où se trouvait une marmite posée sur un réchaud.
toit en tôle
Ça s'appelle "saktoura" ! C'est ce qu'il y a dans le ventre du mouton !
Tu connais ?
Ça sentait fort
J'ai regardé ses pieds et je les ai trouvés très jolis.
Ils avaient l'air à la fois gracieux et solides.
Les filles ont apporté le plat dans le salon, et les hommes, mes parents et moi avons mangé.
Maha et ses filles attendaient
C'étaient des tripes de mouton farcies de riz
très bon
Ça me gêne de manger alors que ta soeur et ses filles nous regardent ...
Elles peuvent pas manger avec nous ?
Pfff, mais c'est comme ça ici ... c'est la vie ...
Et tu sais quoi ? Ça leur fait plaisir.

Quelques minutes plus tard, alors qu'elles finissaient les restes de notre plat, mon père sembla soudain très ému.
Regarde ma pauvre soeur, elle est si vieille d'un coup...
Comme le temps passe...
Normalement, on doit préférer ses propres frères et sœurs, eh ben moi, je préfère ma demi-soeur.
C'est la vie hein!
Ça veut dire quoi demi-sœur?
On a le même papa, mais on a pas la même maman, c'est ça que ça veut dire!
?
Ton grand-père, qui était un homme magnifiquement sage, est né dans les années 1850. Je l'ai presque pas connu, il avait 90 ans quand il m'a eu. Il avait le même visage que toi.
Li Li Li Li
Quand il était jeune, il a épousé une femme de son âge, et il a eu plusieurs enfants, qui sont tous morts de vieillesse maintenant. Il ne reste plus que Maha, qui était la plus jeune.
Puis, quand il a eu 70 ans, il a pris une deuxième femme, qui avait 20 ans: ma mère!
Hé, Hé
J'imagine qu'une femme ne peut pas avoir deux maris?
HAHA!
N'IMPORTE QUOI!
Bien sûr que non...
Mais c'est pas si facile pour les hommes: ils peuvent pas faire n'importe quoi, tout est merveilleusement pensé...
Qu'est-ce qu'il parle bien français le petit Abdel...
Qu'est-ce qu'il raconte comme ça?

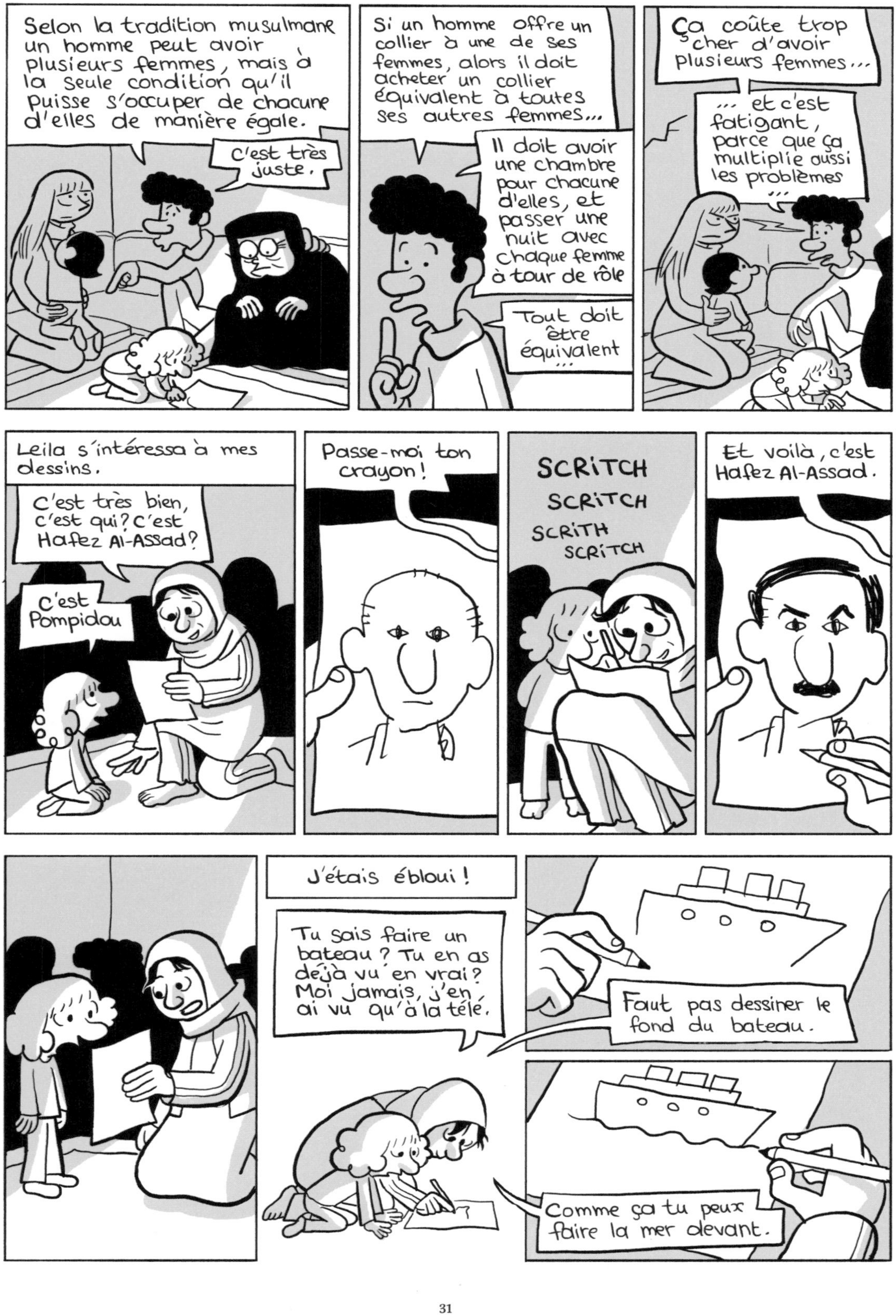

Selon la tradition musulmane un homme peut avoir plusieurs femmes, mais à la seule condition qu'il puisse s'occuper de chacune d'elles de manière égale.
C'est très juste.
Si un homme offre un collier à une de ses femmes, alors il doit acheter un collier équivalent à toutes ses autres femmes...
Il doit avoir une chambre pour chacune d'elles, et passer une nuit avec chaque femme à tour de rôle
Tout doit être équivalent...
Ça coûte trop cher d'avoir plusieurs femmes...
... et c'est fatigant, parce que ça multiplie aussi les problèmes...
Leila s'intéressa à mes dessins.
C'est très bien, c'est qui? C'est Hafez Al-Assad?
C'est Pompidou
Passe-moi ton crayon!
SCRITCH
SCRITCH
SCRITH
SCRITCH
Et voilà, c'est Hafez Al-Assad.
J'étais ébloui !
Tu sais faire un bateau ? Tu en as déjà vu en vrai? Moi jamais, j'en ai vu qu'à la télé.
Faut pas dessiner le fond du bateau.
Comme ça tu peux faire la mer devant.

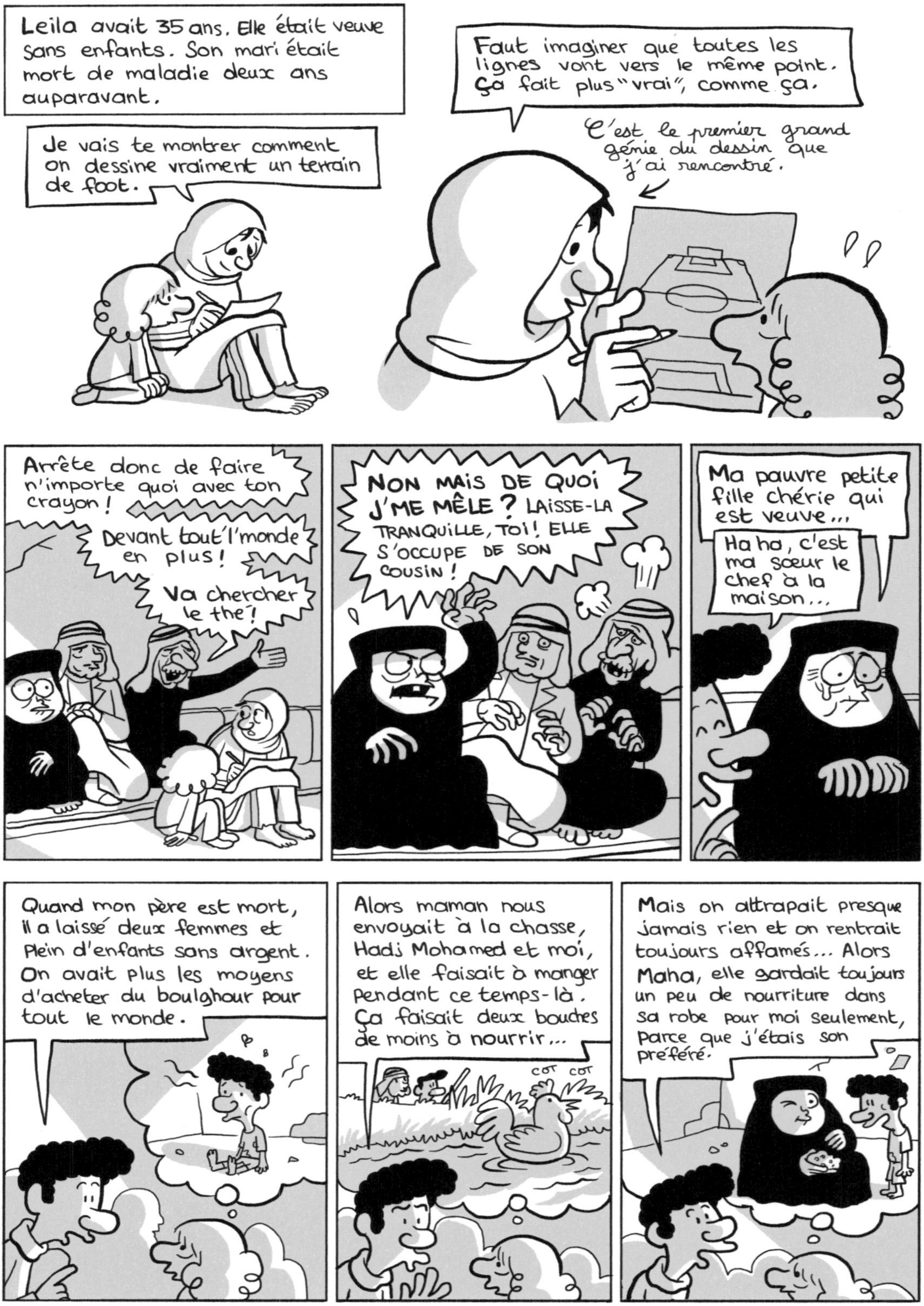

Leila avait 35 ans. Elle était veuve sans enfants. Son mari était mort de maladie deux ans auparavant.

Faut imaginer que toutes les lignes vont vers le même point. Ça fait plus "vrai", comme ça.

Je vais te montrer comment on dessine vraiment un terrain de foot.

C'est le premier grand génie du dessin que j'ai rencontré.

Arrête donc de faire n'importe quoi avec ton crayon !

Devant tout l'monde en plus !

Va chercher le thé !

NON MAIS DE QUOI J'ME MÊLE ? LAISSE-LA TRANQUILLE, TOI ! ELLE S'OCCUPE DE SON COUSIN !

Ma pauvre petite fille chérie qui est veuve...

Ha ha, c'est ma sœur le chef à la maison...

Quand mon père est mort, Il a laissé deux femmes et plein d'enfants sans argent. On avait plus les moyens d'acheter du boulghour pour tout le monde.

Alors maman nous envoyait à la chasse, Hadj Mohamed et moi, et elle faisait à manger pendant ce temps-là. Ça faisait deux bouches de moins à nourrir...

Mais on attrapait presque jamais rien et on rentrait toujours affamés... Alors Maha, elle gardait toujours un peu de nourriture dans sa robe pour moi seulement, parce que j'étais son préféré.

Quand Hadj Mohamed essayait de me voler ma nourriture, elle le laissait pas faire et lui donnait des coups de bâton.
C'est pas pour toi! C'est pour Abdel, c'est le plus petit!
Qu'est-ce que tu dis en français comme ça?
Je raconte quand j'étais petit...
C'ÉTAIT MON PRÉFÉRÉ! Et Hadj Mohamed qui le tapait tout l'temps...
Mais après, c'est moi qui le tapais!
HA HA HA HA HA
À Ter Maaleh, les mariages étaient tous arrangés.
Porte-toi bien cousin!
Ah c'est bien
Les garçons choisissaient leur femme parmi plusieurs candidates sélectionnées par leur père.
La prochaine fois que tu viens nous voir, tu m'amèneras de nouveaux dessins!
Les filles, elles, avaient moins le choix. En général, leur père décidait pour elles.
Elle n'a pas de chance ma demi-sœur, son mari est stupide.
Si elles devenaient veuves, comme Leila, elles retournaient dans leur famille.
Il me donne mal à la tête avec ses "ah c'est bien" tout le temps... Quel taré!
Leila avait été mariée par son père au fils des voisins...
Mais c'est le seul type qui voulait bien de Maha...
...elle n'avait pas eu long à faire pour revenir chez ses parents.

Depuis que nous étions revenus en Syrie, j'avais beaucoup de mal à dormir.
J'étais persuadé d'entendre mes jouets bouger tout seuls la nuit.
CLIK! TIK! CLIK!
Il y avait des bruits qui venaient de la caisse de jouets!
Je me cachais sous la couverture et me mettais à répéter des sons qui descendaient sans fin dans ma tête.
NiNANiNAAANi
NiNANiNAAANi
NiNANiNAAA
CLIK!
Les jouets continuaient de bouger
Je n'arrivais pas à arrêter ces sons descendants.
NiNAANiNA
NiNAAANiNANiii
NiNANiNAAANi
CLIK! CLIK!
Je finissais par m'endormir et, à un moment de la nuit, je me réveillais, incapable de bouger.
C'est alors qu'une créature invisible me léchait la gorge...
HHH
... Puis je me réveillais vraiment en train d'étouffer sous mes draps.
HFFFFF!

Mon frère ne parlait pas beaucoup dans la journée. Mais la nuit, il chuchotait et semblait en grande conversation avec des gens.
Mais non! J'ai pu ... après, il a... Hein? HA! oui c'e... Mais Il...
Sauf qu'on ne comprenait rien de ce qu'il disait.
Il a dit : " Mais j't'... aussi... NOOON! C'é...
Parfois, j'essayais de m'incruster dans la conversation.
Hey Yahya! Tu parles avec qui ?
Et lui, il a dit ...
Hein?
Une fois sur deux, il se mettait à pleurer dans son sommeil.
Kh
Kh
AHiNAHiiiiiiiN

Quand on arrivait à l'école, il fallait se mettre en rang deux par deux devant son professeur.
♫ SALUT À VOUS, DÉFENSEURS DE LA PATRIIIIIIE! ♫
Ensuite, il fallait se tenir la main et suivre son professeur dans la classe.
J'étais l'un des seuls à avoir un cartable
Les autres avaient des sacs plastique
Mon cartable chinois ne résistait pas bien à la pluie.
En fait, il était en carton recouvert d'une fine couche de plastique.
Il se délitait complètement.
Han! Déchire pas ton beau cartable!
SCHRRR
Il n'y avait que des garçons dans ma classe. Où étaient les filles?
En fait, personne ne se posait la question
Certaines tables étaient tellement vieilles et grattées, qu'on ne pouvait pas écrire sur une feuille posée dessus.
J'étais toujours assis à côté de Saleem et Omar. On ne discutait jamais en classe parce qu'on ne voulait pas se faire taper.

Et parfois...
Madame? Puis-je aller faire voler de l'eau ?
La formule de politesse pour demander l'autorisation d'aller faire pipi
Oui, mais fais vite.
Il n'y avait pas de toilettes dans l'école, alors on faisait pipi en regardant les champs.
Odeur de terre mouillée
J'avais très peur d'avoir envie un jour de faire caca.
Comment s'essuyaient-ils?
Parfois, il arrivait qu'un enfant se fasse dessus en classe.
J'ai rien fait madame c'est pas moi...
ESPÈCE DE PORC!
SCHLAK
L'élève se retrouvait au coin.
Snff
Ce n'est pas un patriote, c'est un porc!
Vous pouvez l'admirer, lui et sa crotte.
Et sais-tu ce que font les porcs? Ils mangent leur caca! AS-TU ENVIE DE MANGER TON CACA?
Non pardon madame, si vous aimez Dieu, me faites pas manger mon caca... pitié
Allez, va au coin.
À chaque fois, on se demandait si la maîtresse allait forcer un élève à manger son caca. Ça n'est jamais arrivé.
J'ai passé des matinées entières à me retenir.
HHH

La maîtresse était intriguée par mes cheveux blonds.
Quelle est la religion de tes parents ?
Euh ben je euh
Il est musulman madame, il me l'a dit.
Oui, je suis musulman madame ! Je suis musulman!
Tes deux parents sont syriens ?
Mon père oui, mais ma mère vient de France.
LA FRANCE ! Qui parmi vous sait quelle est la particularité de la France ?
C'est des juifs ?
Beaucoup d'entre eux, oui. Mais pas tous. C'est un pays qui préfère les Américains à l'URSS. Les Français sont donc amis avec Israël.
Ta mère est juive ?
NON madame !
c'est bien.
La France, c'est très joli, la capitale, c'est Paris.
Et à Paris, il y a la plus haute tour du monde : la tour Eiffel ! L'as-tu déjà vue ?
Euh non jamais, mais je demanderai à ma mère si elle connaît !
Lèche-cul

La maîtresse portait un hijab et mettait toujours des jupes serrées et très courtes.
Qui peut me dire combien j'ai dessiné de pommes ?
Sept !
Deux !
Trois !
Elle avait des mollets énormes et portait des chaussures à talons très fins.
Trois pommes, c'est bien.
Comment tenait-elle debout là-dessus ?
Elle avait un sac à main en faux cuir, couvert de dorures et de verroteries.
Tout le monde était persuadé qu'il s'agissait d'or véritable et de vraies pierres précieuses.
Parfois, le directeur de l'école entrait dans la classe sans frapper et s'adossait au mur.
Il fumait une cigarette en silence et nous regardait.
Une pomme, deux pommes
Parfois, il fixait l'un de nous.
On baissait les yeux...
...et quand on le regardait à nouveau...
IL NOUS FIXAIT TOUJOURS.
Une fois sa cigarette terminée, il emmenait le petit qui était au coin...
...et on ne le revoyait plus de la demi-journée.
Suis-moi, le porc.

Parfois, à la récré, je voyais mon cousin Waël de loin.
Il jouait avec d'autres garçons et ne s'occupait pas trop de moi
Il me faisait un petit signe.
Puis il rejoignait ses amis
On jouait essentiellement à la guerre contre Israël.
À l'attaque! Tuons le plus de juifs possible!
Allez!
À l'attaque d'Israël! Allez les martyrs!
J'essayais d'être le plus agressif possible envers les juifs pour prouver que je n'en étais pas un.
Ouaiiiiis! Tous les juifs sont morts!
Vive l'armée syrienne!
On va voir si y a pas d'autres juifs à tuer là-bas?
J'en ai marre, y a pas que les juifs dans la vie... On joue au cheval plutôt?
Le jeu du cheval était simple.
Allez cheval, fonce!
Hiii Hiiii TAGADAC TAGADAC
Hiii
Pour tourner à droite, on tirait la blouse à droite
Pour tourner à gauche on tirait à gauche
Ce jeu contaminait vite la cour et, au bout d'un moment, tout le monde chevauchait.

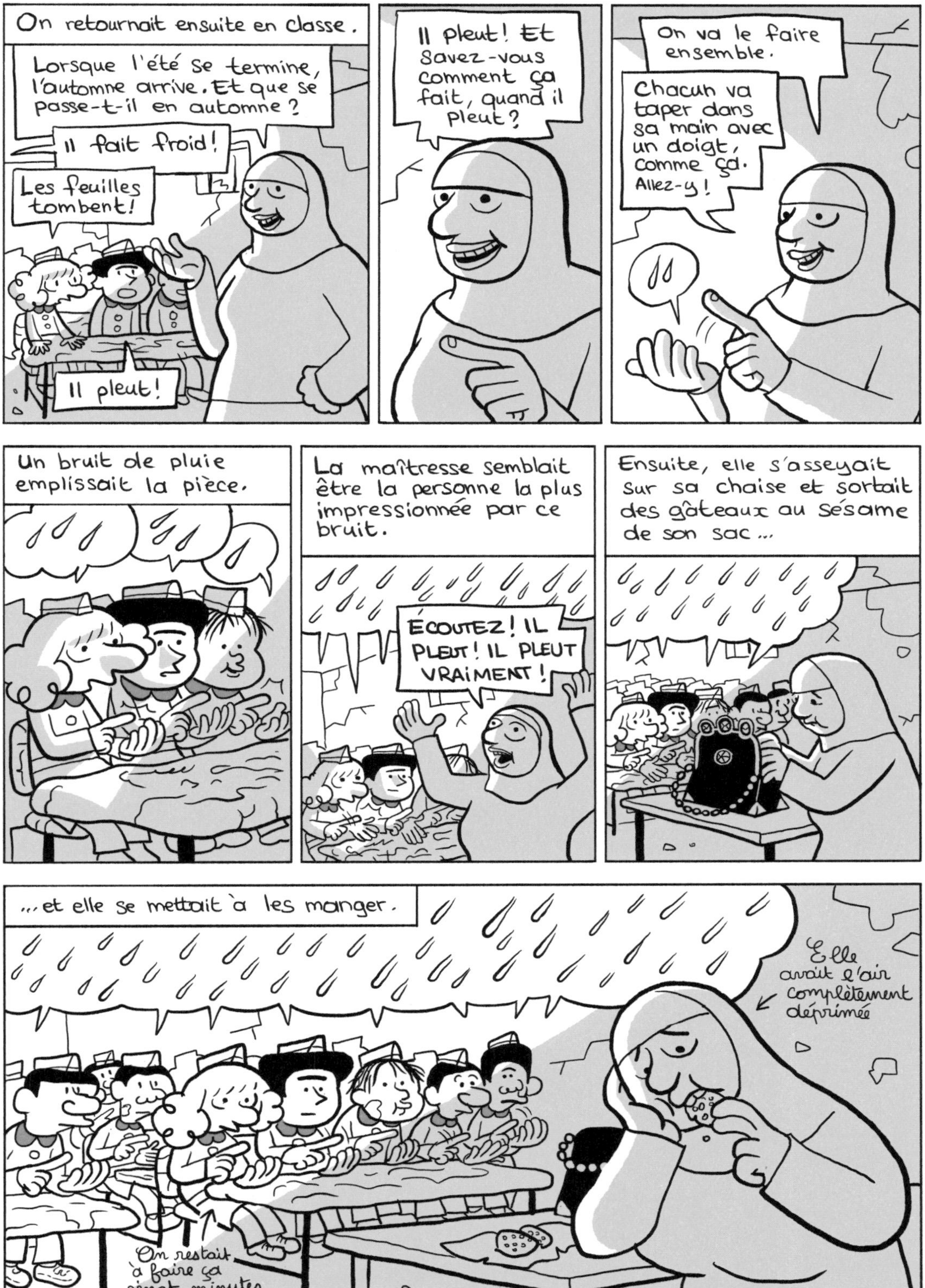
On retournait ensuite en classe.
Lorsque l'été se termine, l'automne arrive. Et que se passe-t-il en automne ?
Il fait froid !
Les feuilles tombent !
Il pleut !
Il pleut ! Et savez-vous comment ça fait, quand il pleut ?
On va le faire ensemble.
Chacun va taper dans sa main avec un doigt, comme ça. Allez-y !
Un bruit de pluie emplissait la pièce.
La maîtresse semblait être la personne la plus impressionnée par ce bruit.
ÉCOUTEZ ! IL PLEUT ! IL PLEUT VRAIMENT !
Ensuite, elle s'asseyait sur sa chaise et sortait des gâteaux au sésame de son sac...
...et elle se mettait à les manger.
Elle avait l'air complètement déprimée
On restait à faire ça vingt minutes

La première année d'école consistait en des demi-journées de cours et des demi-journées de libres.
Au revoir mon frère, à samedi!
3 jours par semaine, on avait cours le matin, et 3 jours par semaine, cours l'après-midi.
Quand je rentrais le midi, la maison sentait l'oignon.
Hmm!
Ma mère faisait le plat préféré de mon père, la moudjadra.
Elle aussi cuisinait sur un réchaud.
J'en ai ras le bol, c'est pas une vie!
Ça cuit rien du tout, ce truc...
C'est prêt quand? J'ai faim!
Je ne me rendais pas compte que c'était dur pour ma mère.
Elle avait pourtant l'air triste
La moudjadra était un plat de lentilles, de boulghour et d'oignons.
Laisses-en pour ton père...
Je mangeais ensuite du labné, une sorte de lait caillé piquant et frais
En Syrie, l'unique jour férié de la semaine était le vendredi. C'était le jour où les hommes devaient aller à la mosquée.
Mon père restait sur le canapé à faire la sieste
J'avais raconté à mon père que je ne voyais plus trop mes cousins. Il en avait parlé à leur père, et désormais, ils venaient souvent frapper à notre porte.
Ils m'emmenaient explorer le village.
Si on allait au champ du fou?
Oh ouais!

Nous avons remonté la rivière jusqu'à un endroit que mon père ne m'avait jamais montré.
Ce champ appartient à un fou qui s'appelle Abu Ahmad!
Il est persuadé qu'il y a un trésor enfoui quelque part dans son champ, alors il arrête pas de creuser avec sa pelleteuse.
Il faut bien vérifier qu'Abu Ahmad est pas là: il a un fusil, et il tire sur les enfants.
La région n'avait été colonisée par les Arabes qu'au VIIIe siècle. Le village de Ter Maaleh existait depuis des millénaires.
Selon la légende, son nom signifiait "la terre de l'air frais" en araméen.
Avant d'être arabe, Ter Maaleh avait été romain. Les terres étaient riches en eau, on trouvait des sources partout.
Tu vois quelque chose?
Hmm non...
Rien...
Le sol était couvert de tessons de poteries →
Au village, les habitants étaient persuadés que le sous-sol regorgeait d'or et de trésors ancestraux.
Y a rien ici, allons à la décharge...

À Ter Maaleh, il n'y avait aucun service de traitement des déchets. La décharge publique était située sous le château d'eau.
Regarde bien si tu trouves du pain par terre!
Pour pouvoir le mettre sur un muret
Je connais quelqu'un qui a trouvé des pièces d'or ici, là!
Dans un coin du terrain vague, nous sommes tombés sur Ahmed, le garçon que j'avais vu jeter des pierres sur son âne.*
Salut mon frère! Tu as trouvé quelque chose?
Grâce à Dieu, une petite pastèque.
Tu partages?
NON! C'EST À MOI!
Les pépins des pastèques que les gens jetaient se mettaient parfois à pousser au milieu des détritus.
Bah! Alors bon appétit mon cousin!
Regarde ce pauvre Ahmed, il a une fesse plus grosse que l'autre.
Il faut être bon avec les indigents.
!?!

* voir L'Arabe du futur, tome 1.

Qu'est-ce que c'est ?
C'est une page du Coran!
Au milieu des déchets ! Quelle horreur!
Smick!
Smack!
Tiens, embrasse-le aussi.
SMICK
Pour faciliter son étude par les enfants, le Coran était imprimé en petits fascicules, d'où provenait cette page.
Mes cousins avaient vraiment l'air bouleversés
Ils s'assirent sur une pierre en tenant la feuille avec précaution.
Celui qui l'a jetée ira en enfer!
Waël se dirigea vers un type qui descendait la rue avec une bouteille de gaz sur le dos, et lui donna la page.
C'était qui?
Je sais pas! Il a pris la page du Coran pour ses enfants.
Le type était ravi
MAGNIFIQUE! Tout est bien qui finit bien.

Des groupes de filles traînaient aussi dans les rues.
Qu'est-ce qu'elles font là celles-là ?
D'où elles passent devant nous ?
Elles étaient très jeunes, ne portaient pas le voile et n'étaient pas très différentes des garçons.
DÉGAGEZ DE MA VUE ! FOUTEZ LE CAMP ! PSCHTTT !
HiHi
?
QU'EST-CE QUE TU M'PARLES FILS DE CHIEN ! J'MAUDIS LE PÈRE DU PÈRE À TA MÈRE ! VIENS TE BATTRE SI TU L'OSES !
KHiHiHi ALLEZ DÉGAGE !
C'EST TOI QUI VAS DÉGAGER ! JE VAIS ALLER CHERCHER MON FRÈRE IL VA TE DÉFONCER ET T'ARRACHER LA TÊTE !
Elle faisait des grimaces incroyables
Au village, les filles ne se mettaient à porter le voile que vers quinze ans.
TFEUUU !
Je soutenais le regard de la fille.
BAISSE LES YEUX SALE JUIF !
RHEU !
Les filles faisaient ce geste...
...qui était une sorte de doigt d'honneur encore plus pervers
Ce doigt gigotait pour plus d'effet
RHEU
...et on accompagnait le signe d'un son comme un crachat.

Mes cousins m'expliquèrent certaines des lois sociales que devaient respecter les filles.
Les femmes ne sont pas comme les hommes. Elles sont impures.
Ah bon ?
Oui elles saignent des fesses des fois !
HIRK !
Elles sont plus fragiles, plus faibles, le Satan vient plus facilement en elles !
Mais quand elles sont mariées, ça va !
Une femme ne doit montrer ses cheveux qu'à son mari.
Une femme sans voile, c'est interdit par le sacré.
?
Mes cousins utilisaient beaucoup le mot "haram" pour qualifier les mauvais comportements. "Haram" peut se traduire par "interdit par le sacré".
Regarde là-bas ! La femme marche derrière son mari.
La femme doit toujours se tenir quelques mètres derrière. C'est ainsi.
Une femme qui marche devant son mari, c'est interdit par le sacré.
Le type marchait avec beaucoup de fierté
La femme portait les sacs et marchait fièrement aussi
J'avais du mal à comprendre leur logique : à Homs, il y avait plein de femmes qui ne portaient pas le voile...
Ce sont des mauvaises femmes prétentieuses !
TFEU !
?
... et ils semblaient n'avoir jamais remarqué que ma mère ne portait pas le voile.
Bonjour ma tante !
BIZ
Ils ne faisaient pas semblant : ils n'incluaient pas ma mère dans leur système de pensée.
VRRR
CHIiii

Un soir, mon père rentra de Damas avec un truc sous le bras,
HAHA!
REGARDEZ!
VOICI NOTRE VILLA DE HAUTE QUALITÉ.
On aurait dit la Maison Blanche
Ma mère ne montra pas trop d'enthousiasme pour le plan. Elle trouvait que c'était trop grand.
Évidemment que c'est grand! Il faut de nombreuses pièces pour tous les enfants qu'on va avoir!
Moi je vois grand! Ça sera la plus grande maison du village!
Une villa PRÉSIDENTIELLE.

Alors, vous avez appris quoi aujourd'hui ?
On a joué !
Hein? vous avez joué à quoi ?
On a fait la pluie en tapant avec un doigt comme ça.
Vous apprenez pas à lire ?
Non on compte des pommes sur le tableau
Bon, c'est de la pédagogie moderne j'imagine...
Ça devrait pas tarder ...
Snfff...
Moi, à ton âge, je savais déjà lire...
Et toi, voilà, tu es déjà en retard sur moi
Tsssss...
Regarde ce que j'ai ramené de France! Une méthode pour t'apprendre à lire et écrire le français!
au fil des mots
On va voir quelle langue tu vas apprendre en premier!
L'ARABE BIEN SÛR ! QU'EST-CE QUE TU CROIS ?
au fil des mots
C'est l'arabe qu'il va apprendre en premier !
On s'en fout du français !
au fil des mots

Notre appartement n'était toujours pas vraiment meublé.
L'entrée géante n'était occupée que par des coussins avec lesquels je faisais des cabanes
La seule pièce qui semblait être terminée était la chambre de mes parents.
Lit en bois qui semblait précieux
Console de maquillage
J'étais très impressionné de rentrer dans cette pièce
Des photos avaient été disposées sous le plateau en verre de la console de maquillage.
Sur l'une d'elles, on voyait mon père très jeune.
Costume trop grand
Ha ha! J'ai fait cette photo à Damas, quand j'étais étudiant!
C'était juste avant de partir pour la France.
Je l'avais faite pour ma mère, pour qu'elle ait un souvenir de moi.
Quand elle l'a vue, elle s'est évanouie.
Ha ha
Elle ne comprenait pas comment je pouvais être tout plat, et pourquoi la photo lui répondait pas quand elle lui parlait.
Elle a jamais vraiment compris ce qu'étaient les photos.
Elle est d'une autre époque.
Sur cette photo je ne souris pas, car j'avais très peur de quitter la Syrie pour aller en France.

On m'avait dit que la nourriture était souvent empoisonnée en France. Enfin, c'est des gens qui étaient jamais sortis du village qui m'avaient dit ça, alors j'étais angoissé, je ne savais pas comment j'allais faire pour me nourrir une fois là-bas...
Même si je savais que c'était sans doute des mensonges, eh ben quand je suis arrivé en France, je n'osais pas manger.
Au bout de trois jours sans rien avaler, j'étais mort de faim.
Makdouss*
SLURP!
Alors j'ai demandé à un Libanais qui était dans mon foyer, où je pouvais trouver de la nourriture arabe.
Il m'a dit qu'il savait pas, mais que les yaourts, c'était un peu comme le labné, et il m'a donné un yaourt aux fruits pour que je goûte.
Par Dieu, y a des morceaux de fraises dedans !
Je suis retourné dans ma chambre. J'ai hésité, puis j'y ai goûté. Eh ben de ma vie, je n'avais jamais mangé quelque chose d'aussi bon !
Alors je suis allé au magasin avec le pot vide, et j'ai acheté trois gros pots d'un litre du même yaourt.
J'ai mangé les trois litres de yaourt d'un coup ! C'était tellement bon.
HF
HF
GL
YAOURT
YAOURT FRAISE 1L
Eh ben j'ai jamais été aussi malade de toute ma vie.
Même quand j'avais eu la petite vérole, j'avais pas eu aussi mal au ventre.
Je me disais que mes amis syriens avaient raison : je m'étais empoisonné avec la nourriture française.
Et après tous ces efforts pour venir en France, j'allais mourir seul, loin de ma famille et de chez moi.
C'est un très mauvais souvenir ça...
C'est le passé, n'en parlons plus...

* voir _L'Arabe du futur_ tome 1

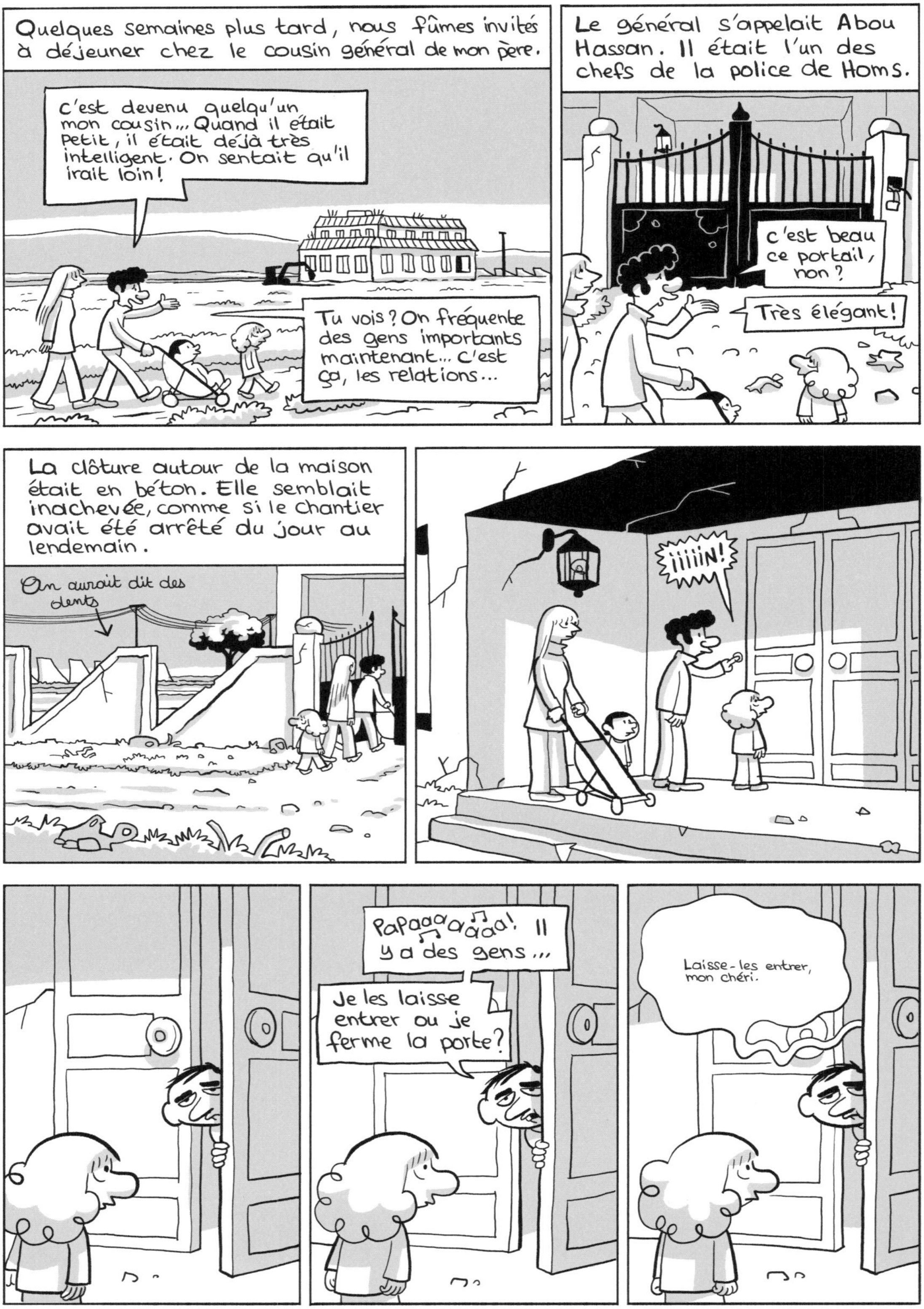

Quelques semaines plus tard, nous fûmes invités à déjeuner chez le cousin général de mon père.
C'est devenu quelqu'un mon cousin... Quand il était petit, il était déjà très intelligent. On sentait qu'il irait loin!
Tu vois? On fréquente des gens importants maintenant... C'est ça, les relations...
Le général s'appelait Abou Hassan. Il était l'un des chefs de la police de Homs.
C'est beau ce portail, non?
Très élégant!
La clôture autour de la maison était en béton. Elle semblait inachevée, comme si le chantier avait été arrêté du jour au lendemain.
On aurait dit des dents
¡¡¡¡¡N!
Papaaaaaaa! Il y a des gens...
Je les laisse entrer ou je ferme la porte?
Laisse-les entrer, mon chéri.

Nous entrâmes. Un homme se dirigea vers nous du fond de la pièce.
TIP TAP
TIP TAP
Bienvenue chez moi.
Il nous présenta sa femme, qui s'appelait Oum Hassan (ce qui veut dire "mère de Hassan").
Elle ne portait pas de voile
Mèches colorées
Robe étincelante d'or
Hellow... Nice you meet to!
Hellow
C'est la seule femme qui parle anglais au village
"J'aime Parisse!" "Les Galeries Lafayette"
HiHi
"Moi aussi j'aime les Galeries Lafayette"
PFHiHiHiHi
HAHA
Ma mère ne parlait pas arabe du tout et était contente de rencontrer Oum Hassan.
you have beautiful house!
Yes...
Venez, je vous fais visiter.

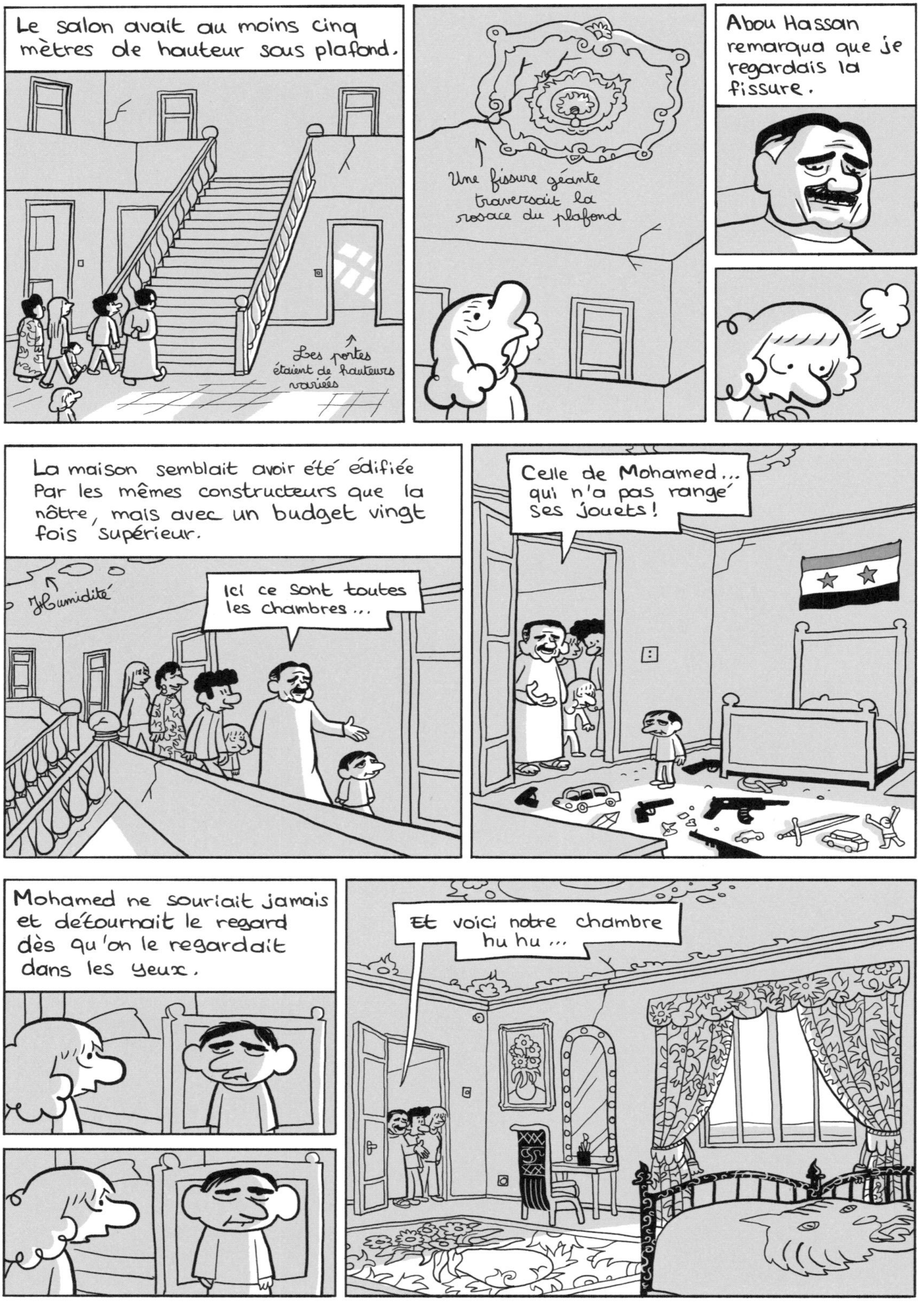

Le salon avait au moins cinq mètres de hauteur sous plafond.
Les portes étaient de hauteurs variées
Une fissure géante traversait la rosace du plafond
Abou Hassan remarqua que je regardais la fissure.
La maison semblait avoir été édifiée par les mêmes constructeurs que la nôtre, mais avec un budget vingt fois supérieur.
Humidité
Ici ce sont toutes les chambres...
Celle de Mohamed... qui n'a pas rangé ses jouets!
Mohamed ne souriait jamais et détournait le regard dès qu'on le regardait dans les yeux.
Et voici notre chambre hu hu...

Mohamed mon chéri, et si tu emmenais Riad dans ta chambre et que tu lui montrais tes jouets?
Viens Abdel, laissons les femmes entre elles...
Bonne idée ha ha!
J'ai suivi Mohamed dans sa chambre. Il n'était pas très heureux que je sois là.
NE BOUGE PAS DE LÀ OÙ TU ES.
Je l'ai regardé jouer quelques minutes en silence.
Oh nooooon les juifs vite!
Il faut les attaquer viiiite!
Alleeez
TCHFFF
Tank de mauvaise qualité
Une superbe Kalachnikov en plastique attira mon attention.
PCHIUUU PAH! PAH! PAH!
Mohamed semblait m'avoir oublié, c'était trop tentant...
?
Tu... Tu...

Il me regarda dans les yeux deux secondes, puis détourna le regard et reprit une expression neutre.
AHIIIII!
YAHIII!
HAIIIII!
Eh bien, eh bien! Que se passe-t-il ici mon Dieu?
IL M'A DONNÉ UN COUP DE POING DANS LE VISAAGE PAPAAA J'AI MAAAAL!
Pourquoi... tu... l'as tapé?
MAIS NON J'AI RIEN FAIT IL S'EST MIS À PLEURER TOUT SEUL!
HK! HK!
Allons, ne le gronde pas... C'est rien... Ce sont des enfants...
Nous aussi, on se battait...
Je t'ai déjà dit de ne jamais taper la famille!
...mais mon fils devrait se défendre, au lieu de pleurer comme une PETITE FEMME!
Akhh!

Abou Hassan et mon père s'éloignèrent.
Les enfants mon Dieu...
Le tien est bien... Moi, de tous mes enfants, c'est Mohamed le plus faible...
Abir le plus pervers qui soit sur terre
Je décidai de trouver ma mère.
Elle était dans la chambre à coucher et regardait quelque chose avec Oum Hassan.
Look... More I have, more! More!
WOW!
In Deir ez zor, more I have! Have this in France, you?
No... No I don't have this...
Gnn
Éblouie
Regarde, Riad! Oum Hassan, elle a quatre kilos d'or!
QUATRE KILOS! C'EST UN TRÉSOR! C'EST SON MARI QUI LUI A OFFERT TOUT ÇA!
Hihihi

Nous passâmes à table. Mon père flattait beaucoup le général, mais celui-ci semblait surtout intéressé par la potentialité d'une amitié entre sa femme et ma mère.
Superbe cette table! Tu
Alors, vous avez bien parlé anglais?
Oui...
Ahhh, merci à Dieu
Elle n'arrêtait pas d'apporter des plats qui sentaient tous plus bon les uns que les autres.
Une énorme fissure dans le mur laissait passer un courant d'air.
Fiuuuuuu
Mon père semblait nerveux. Il gloussait à chaque phrase du général.
Allez Abou Riad, trinque avec moi! J'ouvre une bouteille de Jack Daniel's pour fêter ton retour!
Haha
Tu ne vas pas me laisser boire tout seul, hein?
Abou Hassan se remplit un verre généreusement.
Attends, je le goûte d'abord.
GL GL
Khh.
Buvons pour fêter nos retrouvailles et pour
AH ÇA A BON GOÛT CET ALCOOL AMÉRICAIN!
La consommation d'alcool est formellement interdite par l'islam. Mon père semblait un peu gêné d'outrepasser cette loi devant son cousin.
NOS FEMMES S'ENTENDENT BIEN! ELLES SONT MODERNES! COMME NOUS!
CLING
TCHIN TCHIN

Oum Hassan parlait trop mal anglais pour avoir une vraie conversation, alors mon père traduisait à ma mère.
Oum Hassan dit que son rêve dans la vie serait d'aller un jour à Paris aux Galeries Lafayette ! Mais son mari ne veut pas, il dit que c'est trop cher !
Pourquoi elle vend pas un peu de son or ? Avec un kilo, elle serait riche en France !
Délicieux
Qu'est-ce qu'elle dit ?
Elle dit que si Dieu le veut, un jour elles iront toutes les deux faire des achats aux Galeries Lafayette !
C'est bien, si Dieu le veut, si Dieu le veut...
Ha ha !
Hihi si Dieu le veut
Et toi alors, on m'a dit que tu allais faire construire une maison dans ton champ !
Si Dieu le veut, bientôt ! Une grande villa.
GLG
vide
J'espère qu'elle sera belle alors ! Car je la verrai chaque jour de ma fenêtre !
Si Dieu le veut, elle sera d'une grande beauté.
Mais dis-moi cousin, que fais-tu avec cette pelleteuse ? Tu cherches un trésor ?
HA HA HA HA ! Non, pas du tout ...
Je fais creuser une piscine de 10 mètres de profondeur pour que mes enfants puissent plonger du toit.

Sur le chemin du retour, mon père ne parla pas beaucoup.
Je n'ai jamais vu autant d'or de toute ma vie.
Qu'est-ce qu'elle est gâtée cette femme!

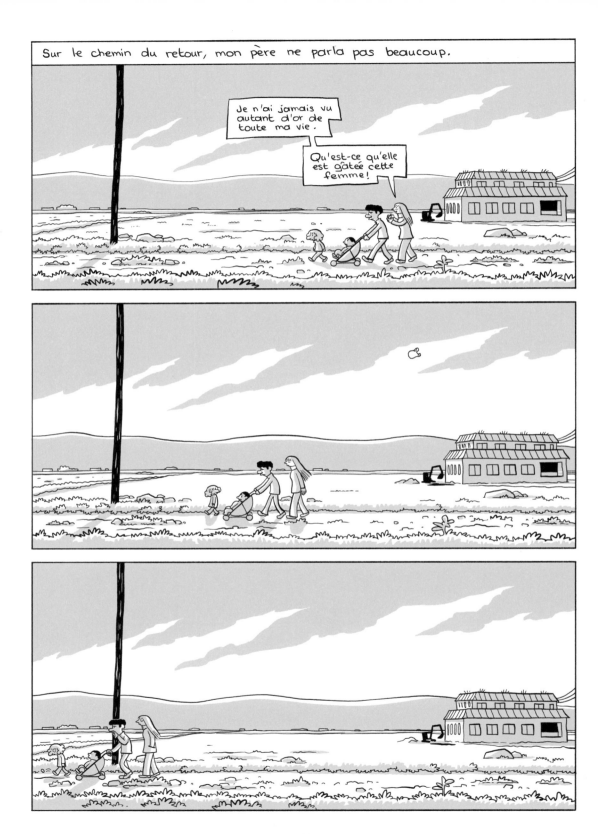

Chapitre 6

L'hiver s'était installé. Il faisait très froid.
J'avais un gros blouson pour aller à l'école.
T-shirt noué en guise d'écharpe
De la boue partout
Saleem et Omar mettaient des sacs en plastique autour de leurs chaussures pour les rendre étanches.
SALUT À VOUS DÉFENSEURS DE LA PATRIE!
Omar avait maigri. Il avait tellement froid qu'il n'arrivait même pas à bouger les lèvres.
NOS NOBLES ESPRITS REFUSENT D'ÊTRE SOUMIS!
Air halluciné
Voumis Gh Gh
Kheu kheu
Gelé, mais sourit quand même
Les maîtres faisaient chanter le premier couplet de l'hymne à toute vitesse, puis tout le monde se dépêchait de rentrer dans les salles...
Kheu!
... pour s'agglutiner autour du poêle.
Tout le monde toussait
Kheu! Kheu!
Kheu
Kheu Kheu

Nous avions commencé à apprendre à lire. Nous chantions l'alphabet en tapant dans nos mains.

Quelqu'un sait ce que j'ai écrit?

Premier mot que j'ai appris!

IL FAUT LIRE DANS CE SENS-LÀ EN ARABE!

"A" ← "SS" ← "RA" (roulé) ← "D" ← "AM" ← "LA"

AL MADRASSA : L'ÉCOLE!

J'aimais beaucoup apprendre à prononcer et écrire les lettres arabes. Elles changeaient de forme selon qu'elles étaient placées au début, au milieu ou à la fin d'un mot.

SHAMS SOLEIL

Le "CH" s'écrit comme ça au début d'un mot...

MOUSTACHE HÔPITAL

...au milieu d'un mot..

...et à la fin.

HCHAL ÂNE

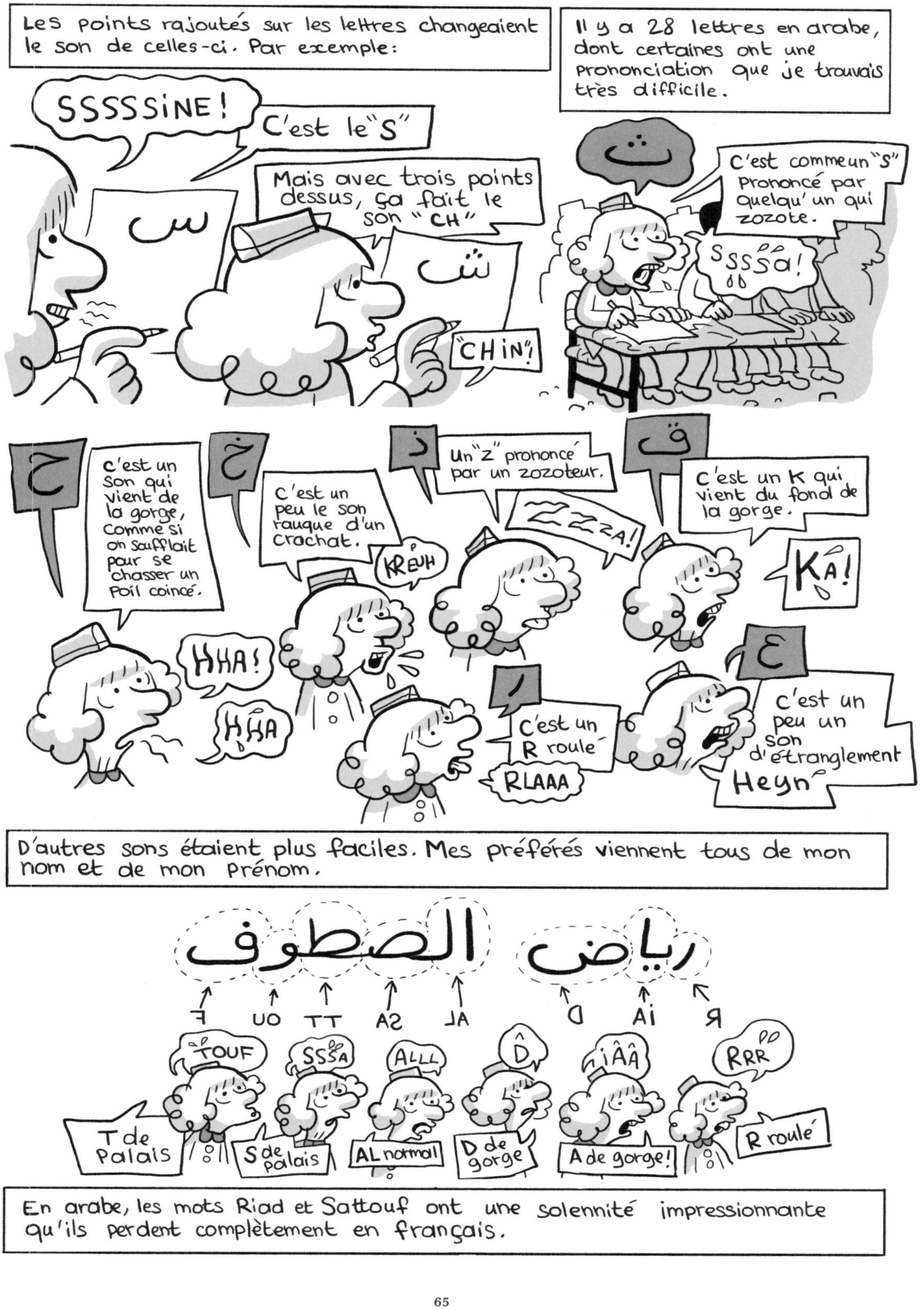

Les points rajoutés sur les lettres changeaient le son de celles-ci. Par exemple :
SSSSSiNE !
C'est le "S"
س
Mais avec trois points dessus, ça fait le son "CH"
ش
"CHiN" !
Il y a 28 lettres en arabe, dont certaines ont une prononciation que je trouvais très difficile.
ث
C'est comme un "S" prononcé par quelqu'un qui zozote.
SSSSA !
ح
C'est un son qui vient de la gorge, comme si on soufflait pour se chasser un poil coincé.
HHA !
HHA
خ
C'est un peu le son rauque d'un crachat.
KREUH
ذ
Un "Z" prononcé par un zozoteur.
ZZZZA !
ق
C'est un K qui vient du fond de la gorge.
KA !
ر
C'est un R roulé
RLAAA
ع
C'est un peu un son d'étranglement
Heyn
D'autres sons étaient plus faciles. Mes préférés viennent tous de mon nom et de mon prénom.
الصطوف رياض
ꟻ UO TT AƧ ⅃A ᗡ Ai Я
TOUF
SSSA
ALLL
D
iÂÂ
RRR
T de Palais
S de palais
AL normal
D de gorge
A de gorge !
R roulé
En arabe, les mots Riad et Sattouf ont une solennité impressionnante qu'ils perdent complètement en français.

Nous apprenions à lire avec un livre illustré par Mumtaz Al-Bahra, un dessinateur syrien dont les dessins réalistes nous fascinaient.
Le garçon s'appelait Bassem et la fille Rabab
Hyper bien dessiné
Les personnages étaient habillés comme des Européens. Rabab avait une mini-jupe très courte.
La maman de Rabab ressemblait à Catherine Deneuve
Une copine sympa de Rabab
Son petit train
Bassem portait un pantalon pattes d'eph' et était gentil avec les animaux.
Il libérait des moineaux
Ultra-expressif
Les femmes ne portaient pas le voile dans les dessins. Les hommes étaient habillés à l'européenne, sauf ce type sur son tracteur.
C'était un des seuls personnages qui pouvait vaguement nous sembler familier
Dans d'autres illustrations, un petit garçon allait faire des courses pour sa maman et croisait des soldats israéliens.
Celui-là avait l'air terrible
Celui-ci était blond !
Pauvre homme
Haine pure
Il s'enfuyait, écrivait sur un mur "FILASTINE DARI", et faisait face aux soldats qui l'avaient rattrapé.
فلسطين داري
Ils étaient bluffés par tant de courage
La fierté absolue
"Filastine dari" signifie "La Palestine est ma maison".

Certains enfants restaient au fond de la classe. La maîtresse n'allait jamais les voir.
Elle demandait parfois à certains élèves de changer de place, et de rejoindre ceux du fond.
Allez! Va rejoindre tes semblables!
Je n'avais pas compris pourquoi elle faisait ça, jusqu'au jour où elle a fouillé dans son sac...
J'en peux plus!
...et en a sorti un flacon de parfum.
PSCHTT PSCHT
PSCHTT
Une odeur de rose synthétique a empli la classe.
VOUS PUEZ! UN BON PATRIOTE NE SENT PAS MAUVAIS!
Vous gênez tout le monde avec votre odeur!
Je n'avais jamais remarqué qu'ils sentaient une odeur particulière. Mais j'avais remarqué que leurs visages étaient sales.
Demain, c'est vendredi! Je veux que tout le monde se lave! Et si jamais vous n'êtes pas tous propres samedi, je vais vous taper très fort!
VOUS M'ÉCOUTEZ?
Haha!
Haha! J'en connais qui vont se faire défoncer!

Le lendemain matin, j'ai été réveillé par une lumière blanche qui passait à travers les volets.
La neige !
L'air sentait le mazout
Tout le monde dormait. Je suis allé boire à la cuisine.
Bonjour mon chéri

Regarde ce fusil! Il est pas mal, non? Je l'ai emprunté à l'un des fils d'Hadj Mohamed!
Fasciné
Aujourd'hui, c'est un excellent jour pour aller à la chasse: les animaux sont gelés, ils pourront pas s'enfuir.
Tu veux venir chasser avec papa?
Oui!
Tiens, porte-le.
Il est pas chargé.
C'était impossible à porter!
Haha! C'est pour les hommes!
Comment quelqu'un pouvait-il faire quoi que ce soit avec un engin aussi lourd?
Pour viser, il faut aligner ce truc en fer avec cette fente.
TIRE!
ALLEZ!
TIRE!
Je n'avais pas assez de force dans les doigts pour actionner les détentes
Tu mets les cartouches à plombs ici... Comme ça tu peux tirer deux coups.
Mais bon, j'aime pas les canons l'un sur l'autre. Je préfère quand ils sont côte à côte...
Allez, habille-toi, on va chercher de quoi manger ce midi!
J'ai envie d'une bonne viande grillée!
Il avait l'air vraiment heureux

Nous sommes allés sur le champ de mon père.
Il avait l'air très fort avec son arme. On aurait dit que rien ne pouvait lui arriver.
Les gens qui le croisaient le saluaient avec respect.
Bonjour doktor !
Bonjour mon frère.
Quand j'étais jeune, il y avait plein de vanneaux américains qui se posaient dans les champs.
C'est un oiseau qui ressemble à un pigeon avec une houppette sur la tête. C'est très bon à manger.
Il y a aussi les cailles. C'est très bon à manger aussi, mais c'est plus dur à chasser parce que c'est tout petit. Elles se cachent sous les pierres.
Ou les canards sauvages ! C'est bon les canards !
Wooo
C'est là que sera notre villa, tu vois ? Elle sera bien plus belle que la maison moche du général !
Il nous gâchera un peu la vue...
Mais un jour, je rachèterai ses terres et je la ferai raser.

Nous avons marché un bout de temps, mais on n'a rien vu d'intéressant.
C'est un sale chat errant... Je vais pas gâcher une balle pour ça !
Tu vois c'est ça qui est génial avec la terre. Elle te donne les plantes que tu cultives, et la viande que tu peux chasser avec ton fusil...
Tu n'as besoin de personne quand tu as la terre.
Des terres et un fusil. Voilà tout ce qu'il faut à un homme !
Finalement, nous décidâmes de rentrer en passant par l'école.
Il y avait plein de moineaux posés sur les fils barbelés.
Leurs plumages étaient gonflés et ils se serraient les uns contre les autres
Ils étaient maigres et avaient l'air affamés
CLAC
Mon père prit tout son temps pour viser.
BLAM

Je n'entendais plus qu'un sifflement aigu !
Touché !
Vite, allons voir !
Les moineaux avaient été pulvérisés par les plombs.
Les cadavres des oiseaux s'étalaient sur trente mètres à la ronde.
J'eus soudain une incroyable envie de pleurer.
La patte tremblotait un peu
Mon père ramassa les moineaux, les égorgea avec son canif et vida leur sang dans la neige.
Chez nous, on vide le sang des animaux après les avoir tués. C'est plus propre.
Je regardai ailleurs discrètement. Je ne voulais surtout pas qu'il me trouve faible.
Tu veux essayer ?
Non.

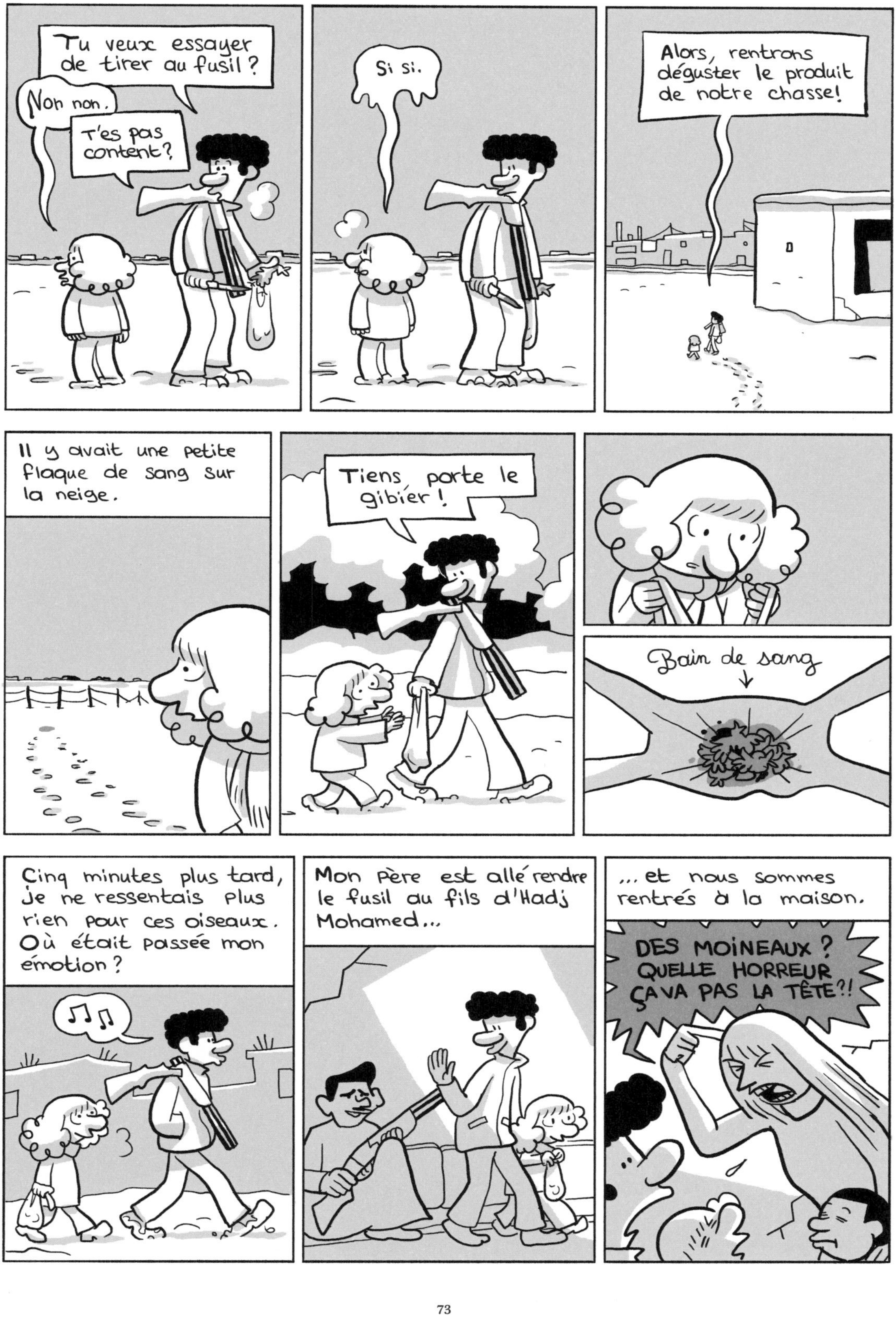
Tu veux essayer de tirer au fusil ?
Non non.
T'es pas content ?
Si si.
Alors, rentrons déguster le produit de notre chasse!
Il y avait une petite flaque de sang sur la neige.
Tiens porte le gibier !
Bain de sang
Cinq minutes plus tard, je ne ressentais plus rien pour ces oiseaux. Où était passée mon émotion ?
Mon père est allé rendre le fusil au fils d'Hadj Mohamed...
... et nous sommes rentrés à la maison.
DES MOINEAUX ? QUELLE HORREUR ÇA VA PAS LA TÊTE ?!

Ma mère refusa de les préparer, alors mon père les pluma, les vida et les posa sur une assiette.
Et voilààà!
Ensuite, il les passa sur la flamme du réchaud et une odeur de poils brûlés emplit la pièce.
Puis il les fit revenir à la poêle, où ils rapetissèrent encore.
TCH TCH TCH
Quand ils furent bien cuits, mon père coupa un morceau de pain et mit trois moineaux dessus.
Ça avait un goût de brûlé assez fort et c'était plein d'os. Il n'y avait rien à manger.
Moi je mâche tout d'un coup!
CRUK CRIK
Le soir venu, ma mère me donna un bain, suite aux recommandations de la maîtresse.
Et je me suis couché.
HOUUU
HOUUU

Le lendemain matin...
HF
HF
HF
HF
HF
HF
HF
Ma mère avait oublié de me réveiller! Elle avait confondu les jours. Elle pensait que j'avais cours l'après-midi, alors que c'était le matin.
Tout le monde était déjà rentré
FLOP!
SPLATCH

J'ai attendu devant la porte. Je n'osais pas rentrer. J'étais certain que j'allais me faire tuer.
HEY! Qu'est-ce que tu fais là?
Je suis tombé dans la boue, si vous aimez Dieu, pitié...
Allez. Entre.
Al-Sattouf, retard et saleté.

Elle avait fait venir devant tout le monde trois des puants, qui ne s'étaient toujours pas lavés.
Je lui expliquai ce qui m'était arrivé.
Pourquoi tu as couru, aussi ? Le sol est glissant, avec la boue...
Son visage était très doux.
Allez, c'est pas grave... Avec tes petits cheveux blonds...
...va rejoindre les puants.
Elle nous tapa extrêmement fort cinq fois sur chaque main.
SHLAK
L'un des enfants avait des hoquets de terreur silencieux en attendant son tour.
Hic Hic
SHLAK
Il a expliqué que sa mère était morte, mais rien n'y a fait.
Si vous aimez Dieu pitié
Hic !
Pitié
Hic
C'était étonnant d'observer comme cette femme n'avait aucune espèce d'émotion pour ces enfants, qui étaient pauvres et malheureux.
CLAK
CLAK
CLAK
Elle se défoulait en frappant de toutes ses forces.
HF!
À nous ! Tes mains.

À force de traîner dans le village avec Mohamed et Waël, je rencontrais d'autres enfants.
Celui-ci s'appelait Abdel Rahmane. Il était très gentil. Il passait des heures à attraper des grenouilles dans les fossés avec son cousin Amine.
C'est pour faire "l'expérience".
Rhaa! Ça gèle
Ensuite, il fixait soigneusement chaque grenouille sur le pneu de son vélo avec une ficelle.
CROÂ
Il regardait ensuite le résultat en analysant les écrasements.
Là! Incroyable!
On voit très bien les deux yeux qui sont sortis!
Je ne pleurais plus depuis les moineaux
Parfois, on entendait Woody Woodpecker dans les rues de Ter Maaleh.
HUHU HI HA HÉÉÉÉ!
HUHU HIHA HÉÉÉÉ!
HUHUHUHAHAHAHA!
C'est un personnage de dessin animé qui a un cri caractéristique!
Nidal est dans le coin!
Il apparaissait avec son bâton et son air très sérieux.
Salut mes frères, comment ça va? Je vais au cimetière voir mon père, vous venez?
Pfff encore!
HUHU HIHA HÉÉÉÉ!
HUHU HIHA HÉÉÉÉ!
HUHUHUHUHAAA!
En fait c'était un tic

Le cimetière du village était situé non loin de la rivière, au milieu des habitations.
Il y avait quelques stèles, mais elles étaient en mauvais état.
Faut pas aller tout le temps au cimetière, Nidal.
Oui mais j'y passe comme ça ...
Cela semblait très ancien
Il s'asseyait ensuite sur une sorte de talus qu'il essuyait un peu.
Y a mon père là. Juste là. Sous moi.
HUHU HiHA HÉÉÉÉ! HUHU HiHA HÉÉÉÉ! HA HAHAHA HAAAA!
Viens, on s'en va il est fou.
Mes cousins m'expliquèrent que chez les musulmans, les morts étaient enterrés dans un drap blanc, directement dans la terre.
Comme ça, le corps retourne à la terre, et l'esprit va voir Dieu.
Je vois pas l'intérêt d'aller au cimetière, puisqu'il y a plus les esprits dans les corps.
Mais Nidal, il veut pas comprendre ça.
HUHU HI HA HÉÉÉ HUHU HI HA HÉÉÉ HUHUHUHAAAAA!

Le soir, je racontai à mon père que j'étais allé au cimetière avec Nidal.
Pauvre petit... Je le connaissais son père, il était à l'école avec moi... Il est mort l'hiver dernier...
C'est triste mais tu ne dois pas suivre Nidal !
Il faut éviter d'aller au cimetière.
À cause des fantômes ?
NON !
Quand j'étais petit, je passais près du cimetière la nuit, pour ramener les chèvres. Et je voyais souvent des lumières bizarres... Comme des flammes au-dessus des tombes...
Comme tout le monde au village, Hadj Mohamed disait que c'était des génies... Pendant des années, ça nous a terrifiés.
Hiiiiii
Puis, pendant mes études à la Sorbonne, un étudiant m'a expliqué ce que c'était. C'était pas les fantômes, c'était les cadavres qui produisaient des gaz en se décomposant. Et après, ces gaz s'enflammaient au contact de l'air. Ça s'appelle des feux follets en français.
C'est pour ça qu'il faut pas aller au cimetière.
Après, les gaz, tu les respires... C'est dégoûtant et puis ça donne le cancer.

DIS DONC AU LIEU DE RACONTER N'IMPORTE QUOI, ET EN PARLANT DE GAZ, QUAND EST-CE QUE TU NOUS ACHÈTES UNE GAZINIÈRE ?
RAS LE BOL DE VIVRE COMME UNE ARRIÉRÉE AVEC MON RÉCHAUD !
Et alors ? Il suffit de me demander ! Comment je peux savoir que tu as besoin de ça ?
Dès la semaine prochaine, tu as le dernier cri de l'électroménager.
Super.
Mais je ne vais pas acheter qu'une gazinière, je vais acheter une machine à laver aussi !
Et un magnétoscope de grande modernité pour regarder tous les films qu'on veut ! Et je lance la construction de la villa la semaine prochaine ! Ça y est !
ET SI TU TROUVES DE LA NOURRITURE FRANÇAISE, HÉSITE PAS ! J'EN PEUX PLUS DU BOULGHOUR ET DES MAKDOUSS !
Ah les femmes.
Tu pourras leur offrir le monde entier, elles seront jamais contentes.

Le jour d'après, je suis allé à Homs avec mon père.
Ta mère exagère... On trouve de tout en Syrie, on vit comme en France ici...
Jamais elle est contente.
Si on était des Bédouins et qu'on vivait dans une tente, là je dis pas... Même si c'est pas un bon exemple : les Bédouins sont souvent très riches...
ALEP! TAXI!
TAXI!
TAXI! DAMAS!
Salut cousin... Tu sais pas où je pourrais trouver un magnétoscope?
Non cousin, par contre j'ai de la lessive européenne! Intéressé?
Ariel! Lave très blanc!
NON?
TSSS...
Nous avons traîné dans le coin des taxis un moment, puis un type est venu nous parler.
Salut mon frère, je suis Abou Basem, fils de Hicham...
Bonjour mon frère je suis le docteur Abdul-Razak Al-Sattouf
Ils ont discuté jusqu'à ce qu'ils se trouvent une connaissance commune.
... Ahmad, d'Al-Ronto, il est gentil mais par Dieu son frère est mort...
C'est un cousin à moi...
Ah bon? C'est un ami de mon frère!
Ah oui? Pauvre de lui!
Tu aimes les films? Mon ami là-bas m'a dit que tu aimais les films...
Oui, j'adore ça, mais je n'ai pas de magnétoscope...
Rhaaa! Mais je t'arrange ça moi!

VHS
TOSHIBA
SONY
BETAMAX
J'ai deux modèles : tu mets le film par le haut : 400 dollars. L'autre modèle, tu mets le film par-devant : 350 dollars.
HEIN ?
OSHIBA
SONY
BETAMA
À cette époque, les biens d'importation étaient fortement taxés par le régime. Cela pouvait aller jusqu'à 600 %. Alors, les gens se rabattaient sur la contrebande.
Je te donne 250 dollars pour celui par-devant !
Tu es fou, c'est un Betamax ! C'est le futur ! L'autre c'est un VHS !
Les chauffeurs de taxi allaient au Liban tout proche et revenaient avec des marchandises qu'ils vendaient au marché noir.
Quelle bande de voleurs !
BETAMAX
SONY
À force d'allers et retours, les chauffeurs de taxi et de camion finissaient par connaître les douaniers, et partageaient l'argent des ventes avec eux.
J'te mets cette machine à laver dans ton taxi !
BET
Et dans 15 minutes, ta femme fait la lessive !
Mouais... Et une gazinière, tu as ?
Non, c'est mon cousin qui les fait. Tu veux quoi comme gazinière ?
Ultramoderne, pas chère.
BETAMAX
Juste dis-moi où tu habites, et dans une semaine mon cousin te l'apporte chez toi directement du Liban.

Mon père m'emmena ensuite dans un quartier que nous n'avions jamais visité : le quartier chrétien.
BETAMAX
SONY
C'était comme les autres quartiers
Il regardait autour de lui, comme s'il ne voulait pas être vu...
BETAMAX
SONY
... et entra dans un magasin.
Bonjour monsieur, as-tu quelque chose avec du porc ?
C'était une sorte d'épicerie, mais il n'y avait presque rien à vendre.
Ah! Hmph... Tiens, j'ai ça ...
C'est délicieux.
Air ultra-sérieux
Rien
"Pâté Hénaff". Français.
Superbe qualité.
Français ? Magnifique, c'est combien ?
50 livres.
50 livres! Si avec ça, ta mère est pas contente, je peux plus rien faire!
BETAMAX
SONY
Par contre, ne dis à personne que j'ai acheté du porc hein ?
A l'école, personne doit savoir.
D'accord, mais pourquoi ?
C'est interdit par le sacré, de manger du porc !

Nous nous sommes arrêtés dans une rue où il n'y avait que des vendeurs de jus de fruits.
C'est des fruits frais mixés, tu vas voir c'est trop bon.
كوكتيل
BETAMAX
SONY
On va s'en prendre deux entre hommes.
Il y a fraise-banane, mangue-pomme, orange-kiwi, et orange. Tu veux quoi ?
Fraise-banane !
UN MANGUE-ANANAS ET UN FRAISE-BANANE COUSIN !
فريز + موز
مانجا + تفاح
برتقال + كيوي
برتقال
J'ai que orange, cousin.
Et pourquoi sur ta carte tu mets tous ces choix ?
C'est la publicité... Où tu veux que je trouve tous ces fruits...
HAHA ! ALORS FAIS-NOUS DES JUS D'ORANGE MON FRÈRE !
Tout de suite monsieur.
Haha enfoiré d'escroc...
Ça c'est les commerçants syriens.
Haha...
Il disait ces phrases en français et continuait à faire semblant de rire.
Je te fusillerais tout ça en une après-midi...
BAM une balle dans la tête
Voilà les jus des tropiques ha ha...
Haha merci monsieur
On a bu les jus et c'était très bon.

ALORS ?
Qui c'est le plus fort ?
HAN ! GÉNIAL !
La gazinière est en route, on l'aura la semaine prochaine.
HF! HF! HF!
BETAMAX SONY
On était rentrés en taxi, avec la machine à laver qui dépassait du coffre. Puis mon père avait tout porté dans l'escalier. C'était la première fois que je remarquais qu'il avait des cheveux blancs.
HF
HF
HF
Il installa le magnétoscope et inséra la cassette de démonstration qui était livrée avec.
Et voilà le cinéma à domicile !
Welcome to Sony Betamax ...
...a sharper picture.
Même en France, tout le monde n'a pas cette modernité !

Chapitre 7

Regarde papa ! C'est lui, dans la Mercedes juste là !
C'est papa !
Viens devant avec moi Riad, tu vas bien voir la route.
Lui, c'était un garde du corps
CLAC CLAC
Le général Abou Hassan nous avait invités à passer Noël à Palmyre. Il était dans la voiture de devant avec mon père.
On voyait sa tête de derrière, il avait l'air heureux

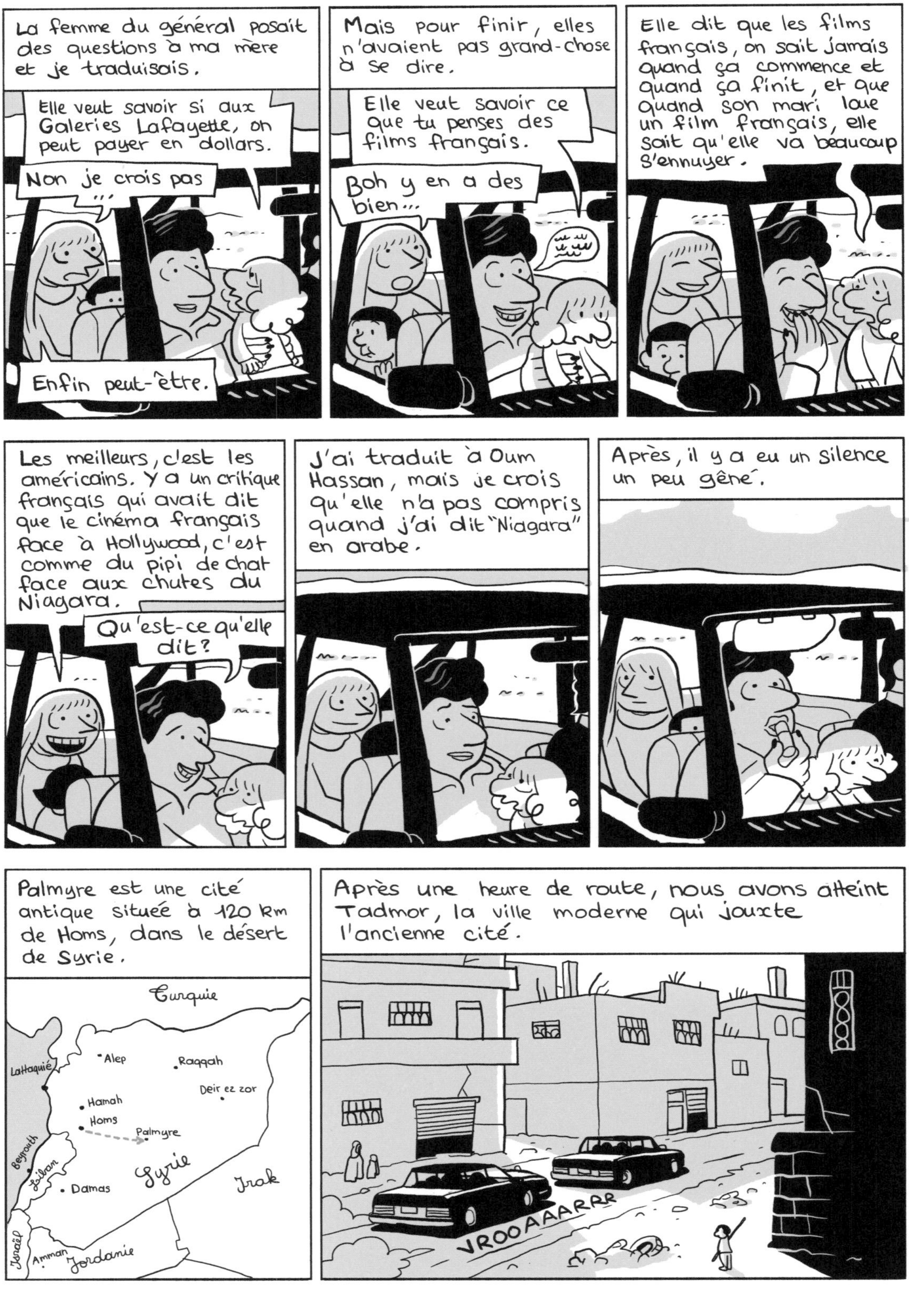
La femme du général posait des questions à ma mère et je traduisais.
Elle veut savoir si aux Galeries Lafayette, on peut payer en dollars.
Non je crois pas ...
Enfin peut-être.
Mais pour finir, elles n'avaient pas grand-chose à se dire.
Elle veut savoir ce que tu penses des films français.
Boh y en a des bien...
Elle dit que les films français, on sait jamais quand ça commence et quand ça finit, et que quand son mari loue un film français, elle sait qu'elle va beaucoup s'ennuyer.
Les meilleurs, c'est les américains. Y a un critique français qui avait dit que le cinéma français face à Hollywood, c'est comme du pipi de chat face aux chutes du Niagara.
Qu'est-ce qu'elle dit ?
J'ai traduit à Oum Hassan, mais je crois qu'elle n'a pas compris quand j'ai dit "Niagara" en arabe.
Après, il y a eu un silence un peu gêné.
Palmyre est une cité antique située à 120 km de Homs, dans le désert de Syrie.
Turquie
Alep
Raqqah
Lattaquié
Deir ez zor
Hamah
Homs
Palmyre
Beyrouth
Liban
Syrie
Irak
Damas
Israël
Amman
Jordanie
Après une heure de route, nous avons atteint Tadmor, la ville moderne qui jouxte l'ancienne cité.
VROOAAARRR

Nous nous sommes garés au milieu des ruines de Palmyre et nous sommes descendus de voiture.
C'était l'hiver, mais il faisait chaud
Des types gardaient leurs chèvres au milieu des ruines
L'autre garde du corps gardait les voitures
Le fils du général faisait comme si je n'existais pas
Les ruines s'étendaient à perte de vue.
C'était magnifique
Mon père ne semblait pas plus intéressé que ça par l'endroit.
Bah, c'était une cité pour les caravaniers... C'était avant les Arabes... C'est mal connu, l'histoire de cette ville...
Y avait une reine ici, elle s'appelait Zénobie. C'était une Romaine... Une vraie salope, comme toutes les Italiennes...
HAHA
Au IIIe siècle après Jésus Christ, Zénobie avait fait de la cité caravanière de Palmyre une ville rayonnante dans le domaine des arts.
La ville avait ensuite été prise par les Arabes au VIIe siècle.
Le sol était couvert de poteries et de cailloux aux formes étranges
Chacun d'eux était mystérieux et semblait précieux

Je décidai de remplir mes poches avec chaque caillou intéressant que je trouvais.
J'étais hypnotisé, tout était magnifique.
RHAAA! RIAD JETTE-MOI ÇA! C'EST SALE!
TU VAS ATTRAPER DES MALADIES!
Le garde du corps transpirait dans son costume et ne gardait pas grand-chose.
Il n'arrêtait pas de claquer ses doigts en faisant des sourires de moustachu
CLAC CLAC
RIAD! REGARDE!
C'EST UN AIGLE!
HOUUUU! Il nous voit, là!
IL NOUS VOIT DE LÀ-HAUT!

L'aigle, c'est l'animal qui voit le mieux sur terre. Il vole très très haut, mais il voit les souris qui courent dans l'herbe!
Et les souris, elles, elles savent pas qu'elles sont observées.
Alors, l'aigle il se laisse tomber sur elles...
... et TCHAC!
Il les attrape avec ses griffes et les emporte pour les dévorer.
Un aigle de cette taille, il peut tout à fait emporter un enfant comme toi.
Eh oui, l'aigle, c'est le roi des oiseaux.
BIM! BAM!
HAHA JE PLAISANTE! Ça porte malheur de tuer les aigles...
Hi Hi Hi! Il est marrant celui-là!

Un enfant arriva avec un seau plein de bouteilles d'eau.
De l'eau messieurs? De l'eau fraîche?
J'avais très soif.
C'est du poison que vend ce pauvre gosse! si tu bois son eau croupie, tu attrapes la dysenterie et hop tu meurs.
En français
De l'eau ?
C'est la tentation du diable!
Mon père donna une petite pièce au gosse.
Tiens. Et garde ton eau.
Oh merci monsieur, que Dieu te comble, tu es un homme bon!
Allons.
Merci! Que Dieu protège tes enfants!
Tu vois, il faut toujours se préoccuper des plus miséreux que soi. Il faut être sensible et généreux!
Il faut aimer faire le bien autour de soi ...
Moi, c'est dans ma nature.
J'ai soif!
TU BOIRAS CE SOIR! ESPÈCE DE PRIVILÉGIÉ QUI SE PLAINT TOUT LE TEMPS!

Le général essayait de se faire traduire par sa femme.
Demande-lui ce qu'elle pense de Palmyre, et si elle pense qu'il y a des choses plus belles en France.
France good this?
This? Good France, no?
Euh yes but ...
Elle parle mal anglais ... Elle comprend rien ...
En arabe
Rhooo ... Insiste un peu ...
Mon père, lui, essayait d'obtenir des faveurs du général.
Tu connais le directeur de l'université? Il est très gentil ...
Pas vraiment ...
Oh il est vraiment bien!
J'aimerais pouvoir lui expliquer que j'ai plus de diplômes que le maître de conférences, et pourtant je suis assistant! Peut-être que tu peux faire quelque ch
HAHA oui ...
Je vais te présenter à nos amis ce soir ... Ils connaissent tout le monde à Damas ...
Merci à Dieu!
Et sinon dis-moi, tu ne m'avais pas dit que ta femme parlait anglais?
Mais elle parle!
Ma femme ne la comprend pas très bien ...
Tu parles bien anglais avec Oum Hassan, vous vous comprenez?
Je fais des efforts mais elle est super nulle ...
Chut doucement ...
Ma femme n'est pas très douée en anglais hélas c'est vrai ...
Ah, les femmes ...
HAHA m'en parle pas!

En fin d'après-midi, nous sommes retournés à Tadmor.
Mes parents sont sortis avec le général et sa femme, et je suis resté dans la voiture avec le garde du corps.
On va voir des gens, on revient.
Tu vas rencontrer la fille d'un général très important !
Tu as de la chance !
Par contre, tu n'es pas bien coiffé. Il faut toujours être bien coiffé quand on rencontre des femmes.
On est parfaits.

Quelques minutes plus tard, mes parents et le général sont revenus, accompagnés d'un couple avec une petite fille.
La voilà, la fille du général.
C'était un autre général dont je ne me rappelle plus le nom. Il m'a fait coucou à la fenêtre.
Fais coucou, Riad, fais coucou !
Nous sommes repartis à trois voitures.
Le nouveau général roulait devant et sa Mercedes avait les vitres teintées
Le convoi s'est arrêté devant un bâtiment luxueux : l'hôtel Méridien de Palmyre.
Sur le parking, mon père essayait d'être détendu.
Ça doit te changer de Ter Maaleh, non ?
Il s'agitait de manière excessive et riait nerveusement aux plaisanteries des deux généraux.
HAHAHAOUI
HAHA
ON SE CROIRAIT À MONACO, PAR DIEU ! HAHAHAHA
Eux, par contre, ne riaient pas trop à ses blagues.

Le hall était majestueux.
Hoooo ! Un sapin de Noël ! L'année prochaine on en fera un !
Qu'est-ce que c'est luxueux ici, dis donc !
Les hommes laissèrent les femmes entre elles. L'épouse du nouveau général parlait bien anglais.
Let's drink a "côtes du Rhône" !
Ladies ? What would you like to drink ?
Euh, wine ? Côtes du Rhône ?
Bonsoir Madame, je parle français.
Hooo ! Un Côtes du Rhône ?
TOUT de suite Madame
HiHiHi
Et pour ces jeunes ? Nous avons du jus de cerise pour les enfants.
Prends ça mon chéri.
D'accord, un jus de cerise !
Hihihi ! Toi aussi tu sais parler bizarrement ? Refais cette langue !
Elle était très jolie et s'intéressait à moi avec gentillesse. Je ne savais pas quoi lui répondre.
Moi je sais dire "Hello my name is Samia" en anglais !
Let's speak english for Clémentine, ok ?
Ok, the good
Hey ! Réponds !

J'étais très timide. Je ne savais pas quoi lui dire, alors je décidai de l'ignorer.
Les gens dans le bar étaient syriens
Ils semblaient n'avoir rien en commun avec les habitants de Ter Maaleh
Je n'en revenais pas qu'un tel endroit puisse exister si proche de notre village.
Tell your husband to live in Damascus... It's better... Villages are hard...
Ma mère avait l'air très contente, elle souriait beaucoup.
Yes, but he wants to stay near his mother ...
Haha! Men and their mothers!
Oum Hassan était exclue, elle ne comprenait rien.
Our villa in Tartous is ver
Et alors Riad! Tu vas pas avec les hommes là-bas, jouer avec mon Mohamed?
Je crois qu'il a pas très envie...
Ahhh! Here are the drinks!
Je goûtais le jus de cerise.
Ça avait un goût synthétique d'antibiotique
J'avais enfin quelque chose à dire à Samia.
C'est bon hein? T'aimes bien?
Mange de l'air, et ne m'adresse plus jamais la parole.
Expression syrienne pour dire "ta gueule"

Le soir, un autre couple nous avait rejoints.
Mamannn j'm'ennuie ...
Mon père essayait d'avoir l'air à l'aise, mais ses remarques étaient toujours à côté de la plaque.
Le président Assad a beaucoup fait pour l'éducation, l'université regorge de talents qui ne demandent qu'à éclore...
Hm.
Hm.
...Il faudrait pour cela que le directeur soit bien conscient de ces talents cachés...
Eh oui... Si Dieu le veut, il le sera ...
Mon père se jetait sur la nourriture et en mettait partout.
Quelqu'un lui avait donné un cigare
Vous chassez, mon général ?
Bien sûr, grâce à Dieu, c'est ce qu'il y a de meilleur au monde
Moi aussi j'adore ça, mais je n'ai pas de fusil...
Haha! Comment chasses-tu, alors ?
Avec mes mains! Mais j'aimerais tant obtenir une dérogation pour avoir un fusil qui
Haha! Noooon! À mains nues, c'est mieux!
En Syrie, il fallait connaître des gens haut placés pour avoir un fusil.
HAHA IL CHASSE À MAINS NUES HAHA

Le général m'appela.
CLAC! CLAC!
CLAC! CLAC!
Il avait l'air doux et puissant.
Tu aimes?
wah!
C'est bien! Quelle merveille, ce petit.
Tiens!
Y a des jeux pour enfants dehors! Va jouer là-bas si tu veux!
Je garde ta pièce.
Dans la cour, Samia jouait avec Mohamed et un petit garçon que je n'avais jamais vu.
Il était coiffé à la brillantine et portait un veston brodé d'or.
Yeux de velours froids comme la glace
Six ans maximum
Boucle de ceinture en or
Petits souliers vernis
J'ai regardé Samia et Mohamed, mais ils ont détourné les yeux.
Lui par contre, il me fixait
Je me suis dirigé directement vers les jeux.
Que fais-tu, chien?

Je... Je joue...
On aurait dit un justicier
"Tu joues"?
Son intonation était très assurée. Il disait les phrases d'une voix calme et posée.
Mais qui t'a donné l'autorisation ?
CRIC CRIC
Je n'ai pas osé lui répondre "Ma mère", car je serais passé pour un faible.
C'est mon père, le grand docteur Sattouf. Il mange avec les généraux là-bas.
OOOOH!
Mais dis-moi, est-ce que cet hôtel, ces jardins et ces terres sont à lui ?
Hein?
Réponds-moi, Est-ce que c'est à lui?
Euh non.
Eh bien moi, c'est à mon père.
ALORS, TU NE TE JETTES PAS SUR CES JEUX COMME ÇA! TU TE METS LÀ ET TU NOUS REGARDES.
Sinon je te tue, chien.
J'ai obéi. Ils ont joué et je les ai regardés.

Chapitre 8

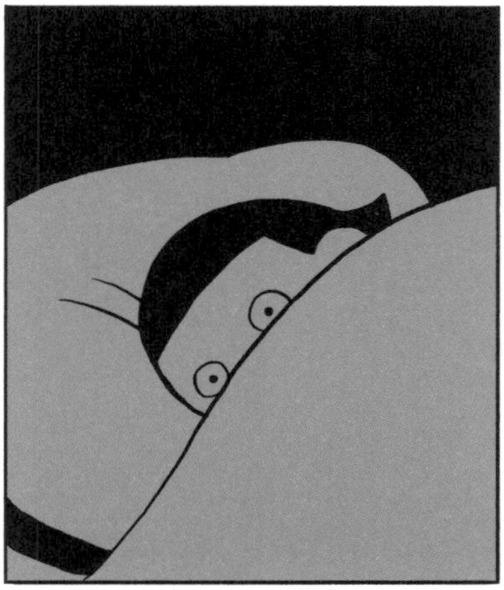

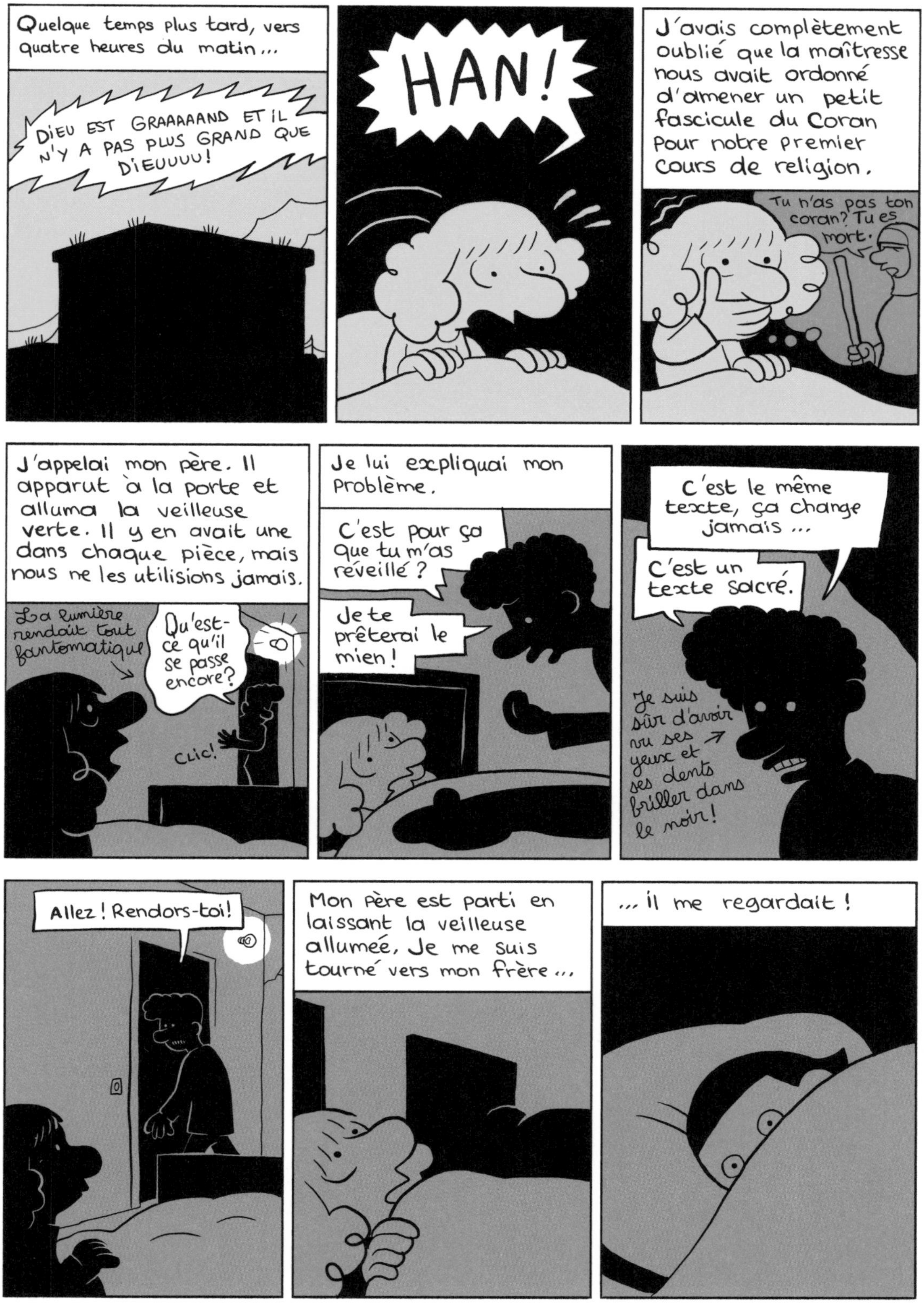

Quelque temps plus tard, vers quatre heures du matin...
DIEU EST GRAAAAAND ET IL N'Y A PAS PLUS GRAND QUE DIEUUUU!
HAN!
J'avais complètement oublié que la maîtresse nous avait ordonné d'amener un petit fascicule du Coran pour notre premier cours de religion.
Tu n'as pas ton coran? Tu es mort.
J'appelai mon père. Il apparut à la porte et alluma la veilleuse verte. Il y en avait une dans chaque pièce, mais nous ne les utilisions jamais.
La lumière rendait tout fantomatique
Qu'est-ce qu'il se passe encore?
CLIC!
Je lui expliquai mon problème.
C'est pour ça que tu m'as réveillé?
Je te prêterai le mien!
C'est le même texte, ça change jamais...
C'est un texte sacré.
Je suis sûr d'avoir vu ses yeux et ses dents briller dans le noir!
Allez! Rendors-toi!
Mon père est parti en laissant la veilleuse allumée. Je me suis tourné vers mon frère...
... il me regardait!

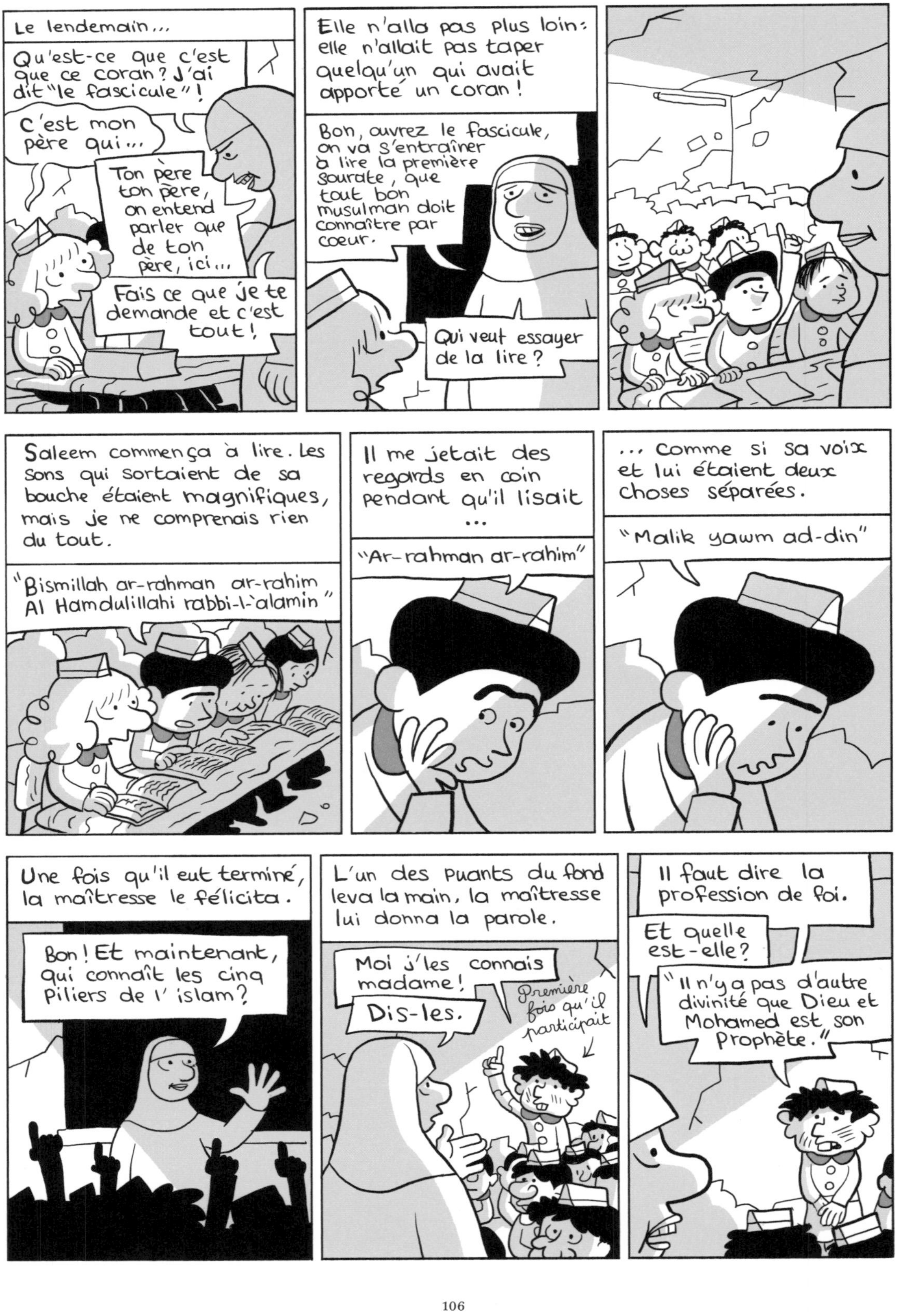

Le lendemain...
Qu'est-ce que c'est que ce coran? J'ai dit "le fascicule"!
C'est mon père qui...
Ton père ton père, on entend parler que de ton père, ici...
Fais ce que je te demande et c'est tout!
Elle n'alla pas plus loin: elle n'allait pas taper quelqu'un qui avait apporté un coran!
Bon, ouvrez le fascicule, on va s'entraîner à lire la première sourate, que tout bon musulman doit connaître par coeur.
Qui veut essayer de la lire?
Saleem commença à lire. Les sons qui sortaient de sa bouche étaient magnifiques, mais je ne comprenais rien du tout.
"Bismillah ar-rahman ar-rahim Al Hamdulillahi rabbi-l-`alamin"
Il me jetait des regards en coin pendant qu'il lisait ...
"Ar-rahman ar-rahim"
... Comme si sa voix et lui étaient deux choses séparées.
"Malik yawm ad-din"
Une fois qu'il eut terminé, la maîtresse le félicita.
Bon! Et maintenant, qui connaît les cinq piliers de l'islam?
L'un des puants du fond leva la main, la maîtresse lui donna la parole.
Moi j'les connais madame!
Dis-les.
Première fois qu'il participait
Il faut dire la profession de foi.
Et quelle est-elle?
"Il n'y a pas d'autre divinité que Dieu et Mohamed est son Prophète."

Ensuite il faut faire ses prières cinq fois par jour en direction de La Mecque.
Il faut faire l'aumône aux nécessiteux (dans la mesure de ses moyens)
Il faut jeûner le mois du ramadan, du lever au coucher du soleil.
Essayer d'aller en pèlerinage à La Mecque, si on en a les moyens.
MAGNIFIQUE! C'EST EXACTEMENT ÇA! Je suis fière de toi!
À ces mots, le petit enfant fut nimbé d'une lumière incroyable.
Il avait l'air digne!
Il devint tout rouge
Tout le monde avait l'air bien plus au courant que moi...
...j'avais très peur qu'on me pose une question et qu'on s'aperçoive que j'étais ignorant.
Riad? Tu nous lis la première sourate aussi?

Je me concentrai et me mis à déchiffrer le texte très lentement.
"Bismillah ar-rahman ar-rahim Al hamdulillahi rabbi-l-`alamin Ar rahman ar-rahim"
Les sons étaient très beaux, mais je ne comprenais rien.
"Maliki yawm ad-din Iyaka n'a budu wa iyaka nasta`in"
Tout le monde m'écoutait avec attention. J'avais peur et ma voix tremblotait.
"Ihdina as-sirat al mustaqim Sirat al-ladhina an`amta alayhim ghayri al maghdubi alayhim wa la ad-dalin"
Une fois que j'eus terminé, il y eut un silence.
Alors? Qu'est-ce que vous en pensez?
Oui, toi?
Il a bien lu, madame.
Je trouve
Je ressentis une grande bouffée de fierté!
Eh oui, c'était très bien. Riad est français et syrien, et n'est-ce pas merveilleux de voir que l'Islam accueille tout le monde, quelle que soit son origine? Lorsque vous êtes musulman, ça passe avant tout le reste.
Je n'osai pas dire que je n'avais pas compris ce que j'avais lu. À aucun moment il ne fut question du sens du texte.
DING DING DING! DING DING DING!

À la récréation, j'essayai de savoir discrètement si j'étais le seul à n'avoir rien compris.
C'est beau la première sourate, hein ?
Oh oui, quelle beauté !
Kheu Kheu
... et c'est intéressant ce que ça raconte, hein ?
Oui, oui par Dieu.
Tu pourrais juste m'expliquer la fin ? J'ai mal compris la fin.
Ouvre ton cœur, et tu vas comprendre.
Bon, moi je vais jouer.
Kheu ! Kheu !
Tous les garçons avec lesquels j'abordais la question du sens éludaient la question.
Bien sûr que j'ai tout compris ! Mais je veux pas en parler.
Saleem finit par reconnaître que lui non plus ne comprenait pas tout.
C'est parce qu'on est jeunes !
Mon père m'a dit que plus on grandit, et plus on comprend. Et qu'à un moment, tout devient clair, et on se pose plus de questions.
Ça veut dire que la maîtresse comprend ?
Bien sûr ! c'est la maîtresse !

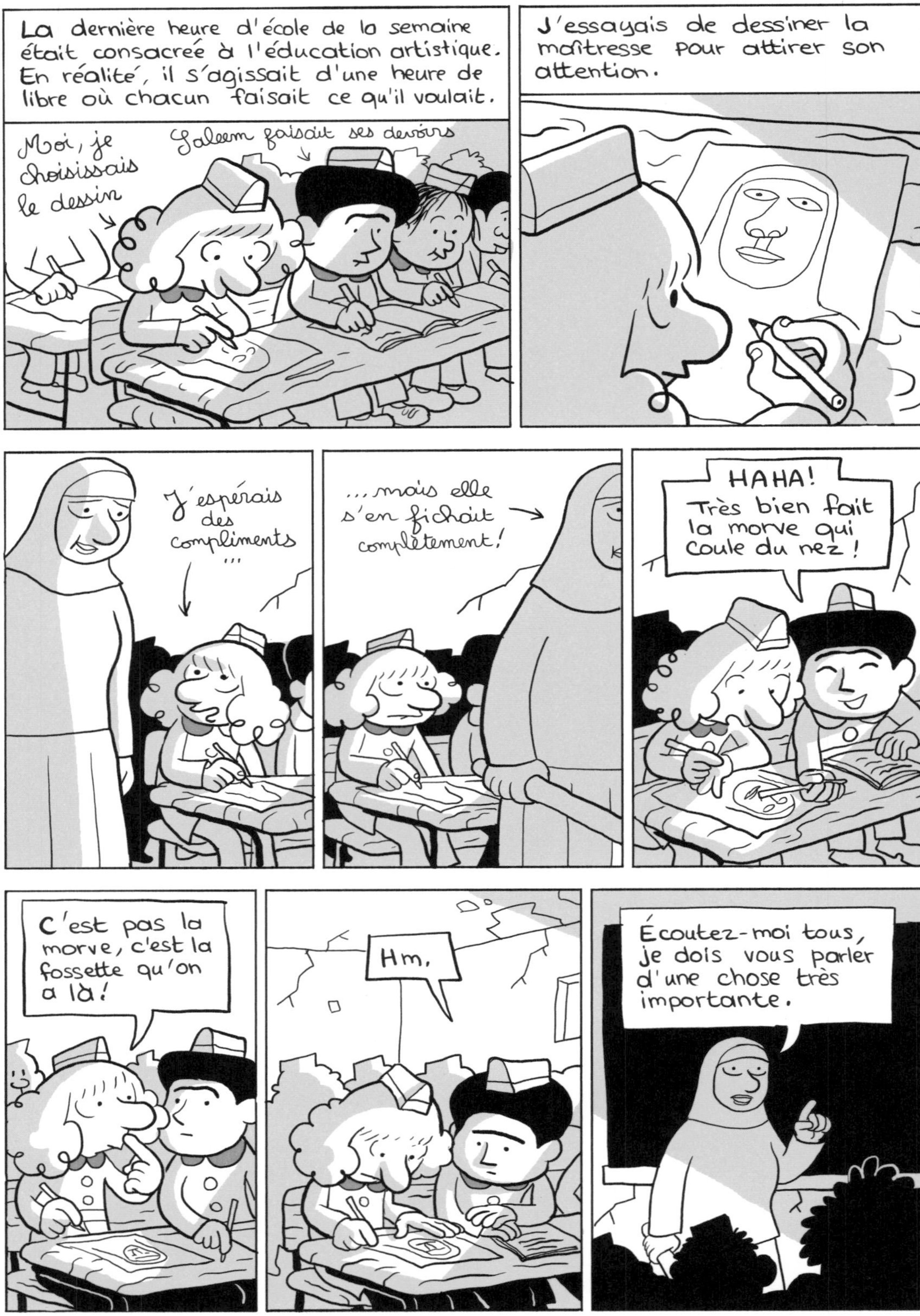

La dernière heure d'école de la semaine était consacrée à l'éducation artistique. En réalité, il s'agissait d'une heure de libre où chacun faisait ce qu'il voulait.
Moi, je choisissais le dessin
Saleem faisait ses devoirs
J'essayais de dessiner la maîtresse pour attirer son attention.
J'espérais des compliments ...
... mais elle s'en fichait complètement !
HAHA! Très bien fait la morve qui coule du nez !
C'est pas la morve, c'est la fossette qu'on a là !
Hm.
Écoutez-moi tous, je dois vous parler d'une chose très importante.

Demain, il se passe un grand événement dans notre pays! Il y a une élection présidentielle! Ça veut dire qu'on doit tous dire "Oui" à notre président Hafez Al-Assad!
C'est un dialogue entre nous, le peuple, et notre président.
Depuis son coup d'État en 1970, Hafez Al-Assad organisait des élections tous les sept ans.
La Syrie est, avec l'URSS, l'un des États les plus évolués du monde. C'est l'un des seuls pays à demander son avis au peuple.
C'est aussi la preuve de la grande modestie de notre président.
Il y en avait déjà eu deux: une en 1971 et une en 1978.
Sans lui, la Syrie se détruirait d'elle-même et nous n'existerions plus.
Il était le seul candidat. Il fallait dire "oui" ou "non" à sa propre succession.
Donc, il faut dire à vos parents de dire "oui" bien sûr, car le président Assad est le père de la nation syrienne.
Il avait obtenu 99 % de "oui" à chaque fois.
Et si vos parents ne peuvent se déplacer, dites-leur de dire "oui" à Hafez dans leur maison. Ça marche aussi!
Allez, on va tous répéter plein de "Oui" tous ensemble.
Oui
Oui! Oui! Oui! Oui! Oui! Oui! Oui! Oui! Oui!
Oui Oui Oui Oui Oui
Je ne me souviens pas d'en avoir parlé avec mon père, ni d'avoir vu un bureau de vote. Le 10 février 1985, Hafez Al-Assad fut réélu avec 100 % de "Oui", un record mondial!

Quelques jours plus tard, j'eus de la fièvre, et mes parents m'emmenèrent chez le médecin.
Chose incroyable, un pédiatre avait ouvert un cabinet dans le village.
Il n'y avait pas tant de monde que ça
Les enfants qui attendaient avaient l'air mal-en-point.
Quand le médecin apparaissait à la porte, tout le monde le regardait comme le Messie.
JE VOUS AI DÉJÀ DIT 50 FOIS DE NE PAS METTRE D'OIGNON DANS LES YEUX DE VOTRE BÉBÉ!
Ça ne lui donnera pas une meilleure vue! C'est une SUPERSTITION!
VOUS VOYEZ BIEN QUE ÇA LUI FAIT MAL!
Il regardait ensuite la salle d'attente et prenait l'enfant qui avait l'air le plus mal-en-point.
VOUS! VITE!
Ils ressortaient au bout de dix minutes...
Hiji Hiji
Nous passions toujours à la fin.
Bonjour doktor...
Bonjour doktor.

J'ai rarement vu dans ma vie d'homme aussi épuisé que ce pauvre médecin.
Comment ça va? Je suis tellement content de vous voir...
Vous, vous m'amenez vos enfants quand je peux encore faire quelque chose pour eux...
Ici, on m'amène les enfants quand ils sont déjà morts...
Il était très gentil et très doux.
Ce bâton que je mets dans la bouche et qui fait presque vomir, c'est pour bien voir les amygdales.
Si tu mets tes amygdales en avant par toi-même, j'ai pas besoin d'utiliser le bâton.
On a un muscle pour le faire, regarde.
GH!
Tu vois?
GH!
PARFAIT tu as tout compris. Il ira loin ce petit!
Il a encore une angine... Je me demande si ça serait pas mieux de lui retirer les amygdales...
C'est une opération bénigne qui peut se faire à Homs...
Ah oui!
Qu'est-ce qu'il dit?
Il dit qu'il faudrait lui retirer les amygdales à Homs.
C'est une blague?
Non pas du tout, et où est le problème? Les médecins syriens sont parmi les meilleurs du monde, figure-toi!

Leur excellence est renommée sur toute la planète!
On va attendre!
Bon on va le faire, doktor, mais pas tout de suite!
L'idéal, ça serait de faire cette opération en France, ça serait quand même mieux qu'ici ,,,
Qu'est-ce qu'il dit?
Rien ,,,
Quand nous partions, il refusait l'argent, comme le vendeur de cartables.
JE N'EN VEUX PAS!
Je ne pars pas d'ici tant que tu n'as pas pris l'argent!
ÇA M'FAIT PLAISIR!
Il finissait par se lever et nous raccompagner à la porte. Mon père laissait l'argent sur la table.
Et n'oublie pas de toujours te laver les mains!
Qu'il est gentil ce docteur...
Quand on était enfants, il était déjà très intelligent. C'est le destin de tous les enfants intelligents de devenir docteur.
Comme toi.
Oh oui papa! Je veux devenir docteur!
Bravo! Tu seras riche!
HF! HF! REPRENDS TON ARGENT, JE T'AI DIT QUE JE N'EN VOULAIS PAS!
?
Il avait couru 500 mètres!

Un soir...
HAN! Qu'est-ce qu'elles ont autour du cou ?
Des serpents vivants qu'elles vont manger devant le président Assad.
QUELLE HORREUR!
C'est des soldates des forces spéciales, elles ont peur de rien c'est des femmes modernes!
Hafez Al-Assad était assis sur une chaise et applaudissait les militaires qui passaient avec leurs serpents.
Les filles se mirent ensuite à mordre dans les reptiles.
Ils avaient l'air d'avoir très mal
Allez! Au lit, c'est pas de ton âge de voir ces horreurs!
C'est pour montrer à Israël qu'on a peur de rien!
Aucune Française ne serait capable de faire ça!

Plus tard dans la nuit...

TOC TOC TOC !

ZZZ

?!?

TOC TOC TOC !

Quelqu'un frappait à la porte de la maison en pleine nuit !

TOC TOC TOC !

Terreur

J'entendis le pas de mon père dans l'entrée, puis la porte s'ouvrit.

FFT FFT   FFT FFT

?

Une veilleuse s'alluma dans le vestibule

un uuuu euu ! uue un !

uuuu eu !

au uu ...

?

Mon père parla en arabe à quelqu'un, puis retourna dans la chambre et en ressortit aussitôt.
!?
Hey Papa ! Qu'est-ce qu'il y a ?
Il avait mis son blouson par-dessus son pyjama
Il y avait à la porte le fils d'Hadj Mohamed, celui qui avait prêté le fusil
RIEN DU TOUT ! DÉGAGE AU LIT !
Il avait la voix blanche, je ne l'avais jamais entendue comme ça.
Où avait-il bien pu partir ?
Il pleuvait à verse et faisait très froid.
J'ai fini par me rendormir
RHAAAAA
Je me suis réveillé en sursaut. Mon cœur battait dans mes oreilles.
Une très faible lueur venait du salon
L'électricité était coupée et quelqu'un avait allumé la lampe à huile. Mon père était rentré, il parlait avec ma mère.
Ce soir ?
oui
Haaah !

Ils ont découvert qu'elle était enceinte de trois mois...
Et c'est un problème?
Y a pas pire comme crime, ici, que de tomber enceinte hors mariage...
"Maha a entendu des cris, elle s'est levée et elle a vu son mari et son fils tenir Leila"...
Ah c'est bien
"Après, ils ont étouffé Leila avec un coussin jusqu'à ce qu'elle ne bouge plus..."
"Ensuite ils l'ont mise dans deux sacs et ils l'ont portée dans leur champ."
C'est bien
"Et là, ils l'ont enterrée. Elle est morte."
"Le père et le frère ont voulu aller taper celui qui l'avait mise enceinte. Il paraît que c'est le frère de son mari décédé. Mais la famille les a pas laissés entrer."

"Maha est devenue folle, elle est sortie dans la rue en hurlant que son mari et son fils étaient des assassins, et finalement des voisins les ont maîtrisés et attachés."
Les hommes de la famille se sont réunis pour savoir ce qu'on devait faire d'eux. J'en reviens.
Qu'est-ce qu'ils ont dit ?
Y en a, ils disent qu'ils ont bien fait de la tuer, parce que tomber enceinte hors mariage, c'est le pire déshonneur qu'une fille peut faire à sa famille, et qu'il faut rien dire...
C'est terrible, mais les crimes d'honneur, ça arrive souvent dans les campagnes.
C'EST PAS VRAI!
Et d'autres disent qu'il faut les dénoncer à la police...
Qu'est-ce que tu en penses ? Il faut faire quoi à ton avis ?
?
ÇA VA PAS LA TÊTE DE POSER LA QUESTION ? IL FAUT ALLER TOUT DE SUITE À LA POLICE DÉNONCER CES ASSASSINS ET LES FOUTRE EN TÔLE !
C'est... Euh oui, c'est c'que j'pense aussi...

Le lendemain, mes parents n'ont pas reparlé de l'événement. Je me demandai si je n'avais pas rêvé leur discussion.
Il paraît qu'en URSS, tout est gratuit. Les bonbons, les voitures, les armes...
Mais elle avait bien eu lieu. La famille se concerta, et dénonça les tueurs à la police.
Tu te rends compte? On pourrait demander un bazooka!
Ils furent arrêtés et mis en prison.
Un jour, j'irai en URSS! Et toi?
Moi aussi!
HF
HF
Le salut sur vous! On vient de me dire que l'un de vous est le fils du grand docteur Al-Sattouf!
C'est moi!
HF!
Haaa! Merci à Dieu! J'ai ici sur mon âne une gazinière d'une grande modernité que ton père a commandée à mon cousin.
Hf! Hf! Il faut que je m'assoie!
AHF!
Mais tu viens d'où, mon bon monsieur?
HF!
HF!
Du Liban! J'ai marché trois jours par les champs!
Ah je suis bien fatigué! Mais vois le bel engin que je vous apporte!
Hf par Dieu!
HF! Ah, par Dieu!
Hf!
Hf!

Chapitre 9

Quand on quittait mon père pour une assez longue période, il avait une manière particulière de m'embrasser.
DEPARTURES
Il respirait mon odeur en cinq ou six inspirations très profondes qu'il entrecoupait de bisous.
SNFFFFFFF
SMACK
SNFFFFFFF
SMACK
Nous allions en France pour deux semaines de vacances. Mon père restait en Syrie.
Il essayait de se retenir de pleurer.
Alors je faisais pareil.
Nous tournions dans le couloir de la salle d'embarquement et il disparaissait.
Nous montions dans l'avion...
... et une fois assis, la tristesse avait disparu !

Comme la dernière fois, c'est mon grand-père qui est venu nous chercher à l'aéroport.
5
2
Allez ! On va direct aux Galeries Lafayette !
J'ai des cadeaux en retard !
L'air avait toujours une odeur piquante
C'était un magasin incroyable où tout était luxueux et brillant.
LEGO
Le rayon jouets s'étendait à l'infini
Je comprenais enfin pourquoi Oum Hassan rêvait de venir ici.
Prends cette navette !
C'EST VRAI ?!?
Ma mère était émerveillée.
C'est mon endroit préféré sur terre ! Regarde-moi ces lumières !
Il est quand même maigrichon Riad, ça fait de la peine... T'es sûre qu'il va bien ?
Ouiiii... C'est parce qu'il grandit...
Mais bon, c'est vrai que ce qu'on mange en Syrie, c'est pas très varié...
Mais revenez en France, enfin...
C'est Abdel...
Sa mère est âgée, il veut rester près d'elle... Mais ça va aller mieux, on lance la construction d'une grande villa, et Abdel fréquente des gens importants... On va vivre mieux...
Tu viendras nous voir !
Ah oui !
Et l'école, ça se passe bien ?
Il travaille très bien ! Et on va commencer le français quand on va rentrer...
Dis-moi quelque chose en arabe pour voir ?
!
artier
CHANEL

Nous avons dîné à l'hôtel. Il y avait un immense buffet...
Prends tout ce que tu veux !
... avec du poulet (cuisses, ailes, blanc), du rôti de boeuf et de veau, des salades toutes différentes, des pâtes, du riz, etc.
Meilleur concept de tous les temps
Ma mère me prit des tranches de saucisson toutes rouges.
Tu te rappelles de ça ? T'aimais bien quand t'étais petit.
C'était le meilleur truc que j'aie jamais mangé.
C'est du porc, on a pas ça en Syrie !
C'est interdit par le sacré, de manger du porc !
Le plus incroyable avec ce buffet, c'est qu'une fois qu'on avait fini son assiette on pouvait aller se resservir.
Je me suis pris trois bananes jaunes avec la queue un peu verte...
J'étais toujours aussi hypnotisé par les bananes
... et je me suis couché incroyablement satisfait.

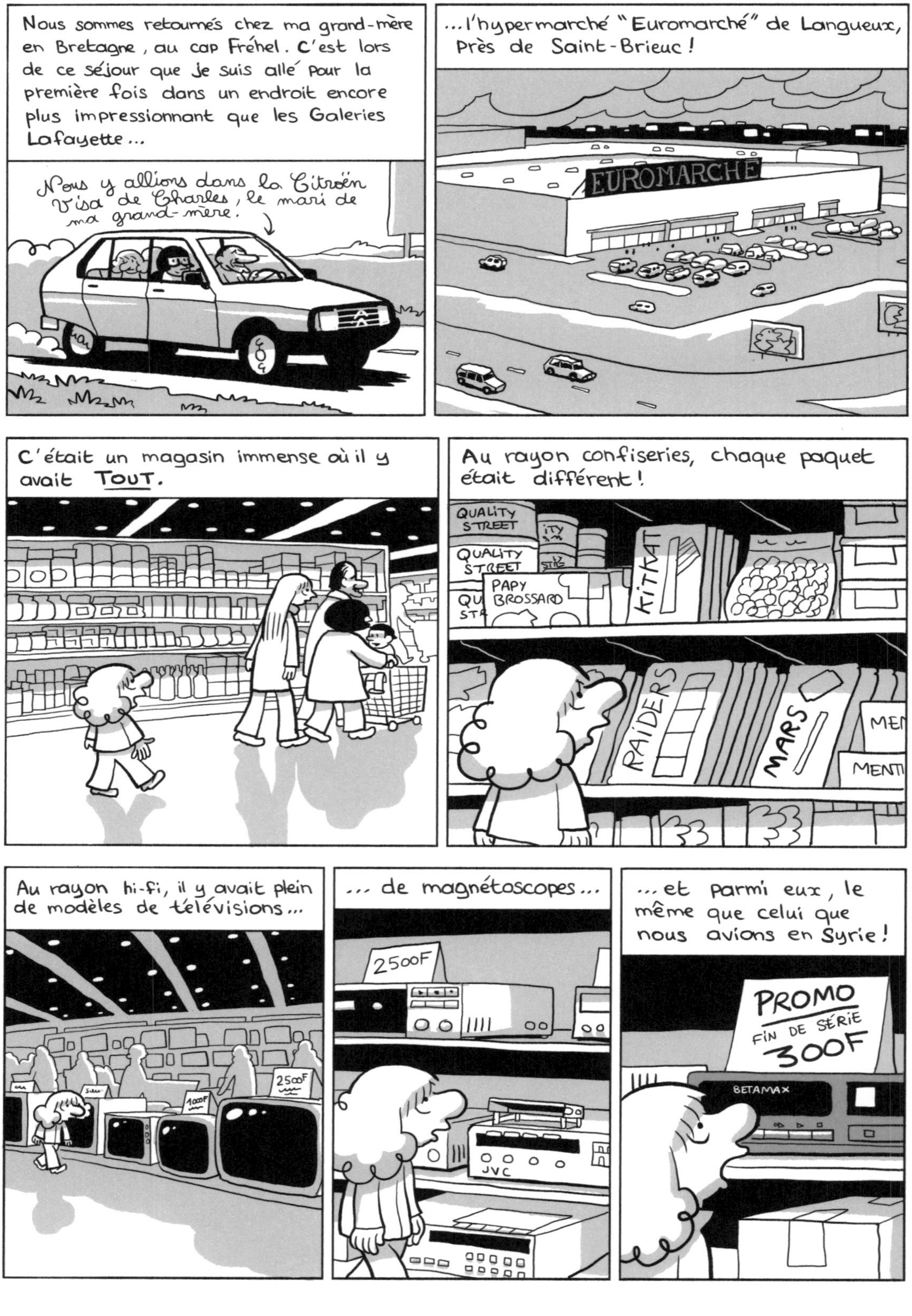

Nous sommes retournés chez ma grand-mère en Bretagne, au cap Fréhel. C'est lors de ce séjour que je suis allé pour la première fois dans un endroit encore plus impressionnant que les Galeries Lafayette...
Nous y allions dans la Citroën Visa de Charles, le mari de ma grand-mère.
...l'hypermarché "Euromarché" de Langueux, près de Saint-Brieuc !
EUROMARCHÉ
C'était un magasin immense où il y avait TOUT.
Au rayon confiseries, chaque paquet était différent !
QUALITY STREET
QUALITY STREET
PAPY BROSSARD
KITKAT
RAIDERS
MARS
Au rayon hi-fi, il y avait plein de modèles de télévisions...
2500F
1000F
... de magnétoscopes...
2500F
JVC
...et parmi eux, le même que celui que nous avions en Syrie !
PROMO
FIN DE SÉRIE
300F
BETAMAX

Ma grand-mère remplissait son caddie frénétiquement.
Prends des petits-suisses de plusieurs parfums si tu veux !
Et attrape un camembert "président", c'est les meilleurs.
HF!
HF!
HF!
Son mari suivait et glissait parfois un produit dans le caddie avec satisfaction.
HMM ! Moi je prends des crèmes au chocolat !
Oh le gourmand !
Je t'en donnerai peut-être une, on verra...
Les autres clients avaient également l'air très satisfaits.
Tu as vu toutes les différentes lessives ! Oh là là !
Blanc, couleurs, laine...
C'est génial !
Je vais en acheter pour en ramener en Syrie.
ARIEL
OMO
La profusion de produits avait quelque chose d'hypnotisant.
Attrape l'huile de tournesol Lesieur, la bouteille jaune !
Pour moi, c'était le meilleur endroit sur terre.

Cette première semaine en Bretagne passa lentement. Ma grand-mère m'emmenait pêcher le long de la côte.
Cet endroit s'appelait "Port à la Duc"
Ça sentait très fort la vase
Tu vois au loin là-bas ? c'est LA MER ! LA MER QUI MONTE !
Il faut qu'on se dépêche : si on fait pas attention, on se fait avoir et on meurt noyé !
Ça arrive tout le temps !
Regarde comment je fais.
FRTT FRTT
FRRT !
Et voilà comment on attrape des lançons !
C'est des petits poissons qui vivent enterrés.
Y en a partout sous le sable ! on dirait pas comme ça hein !
Ils ont une drôle de vie, quand même.

Nous allions ensuite explorer les rochers d'une plage appelée "les Grèves d'en Bas".
C'est bien, tu sautes de caillou en caillou, t'es un vrai Breton!
Regarde dans cette mare. Tu vois ces petits escargots sur le bord ?
Les seuls qu'on peut manger, c'est ceux avec plein de rainures sur la coquille. Ça s'appelle des bigorneaux.
Tous les autres, c'est du poison.
Mais y en a de moins en moins parce que tout le monde les pêche. Quand j'étais petite, y en avait partout.
Et là, ces trucs noirs, c'est des moules sauvages.
Ça s'mange aussi.
Tu vois ces petits triangles? C'est des chapeaux chinois. Regarde, si j'en casse un avec un caillou.
CRUK
Tu vois à l'intérieur? Y a une bête.
Tu poses ton épuisette dans la mare et tu jettes le chapeau chinois dedans.

D'abord, les crevettes arrivent.
Puis ensuite ...
... LE CRABE!
ET HOP! Tu relèves l'épuisette, et t'as un repas complet.
C'est pas très intelligent comme bête, HA! HA!
Prends-le par la carapace et regarde son ventre : s'il est vert, on le relâche, s'il est rouge, casserole.
Rouge!
CASSEROLE
Si un jour, t'as pas de travail et pas d'argent, tu pourras manger gratuitement en attrapant toutes ces bêtes.
C'est bien de garder ça en tête, au cas où un jour tu deviens clochard.
C'est quoi "clochard"?
C'est quand t'as pu un sou pour vivre et que tu dors dans la rue. C'est ce qui peut arriver de pire à un humain.
Tant que je serai là, tu deviendras pas clochard. Mais si un jour, après que je sois morte, ça t'arrive, tu peux venir ici, tu trouveras toujours quelque chose à manger.
OH! REGARDE LÀ-BAS!
LES NAZIS!

C'est quoi les nazis?
C'est les Boches, les Allemands! Bien avant que tu naisses, quand j'étais jeune, il y a eu la guerre mondiale! Les Allemands nous ont envahis. Ils ont construit ces horreurs en béton pour défendre la côte. Ça s'appelle des bunkers.
Maintenant, la guerre est finie, on s'est réconciliés avec eux, mais moi j'oublie pas!
Odeur d'urine extrême
Tu verras, ici, en été, c'est plein d'Allemands. Ils viennent en vacances ici comme si de rien n'était. Mais moi, je sais que c'est pour la plupart des familles des nazis qui gardaient la côte.
Je le sais!
Moi j'avais 20 ans pendant la guerre... J'avais peur, je restais chez moi... Comme beaucoup de Français...
Mais heureusement, tout le monde était pas comme ça. Y en a qui ont résisté! Sinon on serait pas là...

La deuxième semaine, mes grands-parents nous ont emmenés dans les Alpes, à la station de ski "La Giettaz".
Mes grands-parents étaient à la retraite. Ils ne travaillaient pas, mais étaient payés. J'avais du mal à comprendre.
Quand t'as travaillé toute ta vie et que tu deviens vieux, eh ben tu touches des sous tous les mois.
Parce que t'as cotisé!
Nous, on était fonctionnaires on a une bonne retraite. On touche 7000 francs chacun!
C'est quoi "fonctionnaire"?
C'est quand tu travailles pour l'État. T'as la sécurité de l'emploi! Moi, je te conseille de devenir fonctionnaire!
AH NON!
Moi, je pense qu'il vaut mieux être indépendant!
Fonctionnaire c'est bien si t'es feignant
Hihi!
Parle pour toi! Moi j'aimais mon métier aux PTT! Je travaillais beaucoup!
Moi j'étais feignant, oui!
Si j'avais osé, je me serais lancé dans la photo! Mais j'ai préféré la sécurité, je suis devenu policier!
HAHA! Avec moi, les bandits, ils étaient tranquilles!
La police, elle laisse toujours un peu filer les bandits, parce que sans bandits, y a plus de police!
Elle est belle la France!
Ben c'est la vie, que veux-tu!

Mes grands-parents étaient très heureux de me faire faire du ski.
Jean-Michel, un homme très bronzé, devait m'apprendre les rudiments.
Le ski consistait à glisser sur des pentes enneigées en ayant l'air très sérieux.
Et on appuie su'l'genou!
Hop!
FFRTTT
Je ne voyais pas trop l'intérêt de la chose.
Alley Ryan! On remonte su'les skis!
Des gens de tous âges fonçaient à toute vitesse et de toutes parts.
Tiens essuie-toi avec mon mouchoir! Faut pas pleurer!
Pour remonter les pentes, il y avait un système mécanique avec une perche qu'on mettait entre les jambes et qui nous tirait vers l'avant.
Alley essaie tout seul!
YAH!
CRUK
Tout le monde semblait y arriver sans problème.
Alley debout
J'ai recommencé quinze fois sans jamais réussir
Alley c'est pas grave Ryan, tu s'ras pas champion de ski, c'est tout!

Alors ? T'as aimé ? C'est génial hein?
Aucun de nous n'a jamais appris à skier! T'en as de la chance!
Oui c'était Super
Haaa! Tu veux en refaire demain?
Non je préfère rester avec vous ...
Les jours suivants, je suis resté avec eux. Charles m'a acheté une luge en plastique.
Je montais en haut d'un monticule et je me laissais glisser.
Bravo PILOTE!
Puis un après-midi, j'ai recroisé Jean-Michel.
ALLEEEY!
Il était suivi de trois tout petits enfants ultra-sérieux qui skiaient à la perfection.
HOP c'ey bien!

Chapitre 10

Qu'est-ce que tu fumes, père de Riad ?
Des cigarettes que je ramène d'Europe. Les meilleures du monde.
DUNHILL.
Tu en veux une ?
Oh oui merci grâce à Dieu !
Un soir, j'ai accompagné mon père chez le maire du village.
C'était un vieil homme très gentil, dont le rôle était de faire "porte ouverte" à tous les chefs de famille, toute l'année.
Riad ! Viens me voir !
CLAC !

Regarde, Riad, on voit bien tout le monde d'ici!
Il y avait Hadj Mohamed
Le père de Waël et Mohamed
Les femmes apportaient le thé
Mon père me regardait avec fierté
Son paquet de Dunhill bien en évidence
Mon père discutait avec le type à qui il avait donné une cigarette.
À sa droite, des hommes que je ne connaissais pas semblaient le mépriser, et l'ignoraient ostensiblement.
Ils semblaient vraiment lui en vouloir.
Hadj Mohamed avait l'air soucieux. Il sortit une petite boîte en argent et se roula une cigarette.
Il écoutait attentivement le type à côté de lui.
Mon père se poussait les dents avec le pouce. Cela signifiait qu'il avait un problème.
CLIC
CLIC

Nous quittâmes la mairie assez tard.
La rue était très sombre.
Tu sais ce qui est arrivé ici, là, au cousin de mon grand-père ?
Il a rencontré une hyène.
C'est quoi une hyène ?
OUUUUH!
Les hyènes, c'est des bêtes féroces qui ne vivent plus qu'en Afrique, aujourd'hui. Mais, il y a longtemps, il y avait une meute qui traînait ici, près du village! Ça ressemble à un gros chien, et ça rit, comme un homme. C'est un animal du diable!
HA! HA! HA!
Le cousin de mon grand-père, il rentrait chez lui, une nuit, et il passe là. C'est alors qu'il entend un rire dans le noir. Et là, il voit une hyène qui le regarde au clair de lune.
Comme il sait que son heure est venue, et qu'il va se faire manger, il se met à réciter la première Sourate du Coran.
Eh bien, à ce moment là, la hyène a arrêté de rire. Elle a baissé la tête et s'est enfuie. Alors, le cousin de mon grand-père est rentré chez lui en remerciant Dieu.
Tu vois ? Quand tout est perdu, il faut toujours s'en remettre à Dieu!

L'hiver se terminait. Il avait plu dix jours d'affilée sans discontinuer.
Un matin, je suis allé à l'école et tout le village était inondé.
J'avais mes bottes de Bretagne
J'ai marché jusqu'à un type, au milieu de l'eau.
Bonjour monsieur! Où sont les élèves?
L'école est fermée, elle a été engloutie!
Je ne le connaissais pas
Et que fais-tu?
Je bouche les trous sous l'eau...
Au cas où un professeur souhaiterait aller à l'école, pour qu'il ne se casse pas une jambe!
Tu veux essayer?
Non merci!

CROÂ!
CROÂ!
CROÂ!
DIEU EST GRAND ET IL N'Y A PAS PLUS GRAND QUE DIEU!

L'école fut fermée une semaine. On se promenait avec mes cousins.
Ils s'arrêtaient parfois pour faire pipi au grand air.
Je n'osais pas faire pareil
Un jour, nous avons marché loin vers le nord.
Quand on se retournait, on voyait la maison du général toute petite, et le village à l'horizon.
On est au moins à 100 kilomètres de chez nous !
Ça fait un peu peur !
PFIOU !
Je regardais au loin, quand soudain j'ai vu un truc.
LÀ-BAS ! C'EST QUOI CE POINT ROUGE ?!?

Nous marchâmes dix minutes pour atteindre ce mystérieux phare.
Ça peut pas être de l'or, l'or c'est doré...
WOAH!
Je vais l'offrir à ma mère!
Tu lui offres de notre part aussi, hein?
D'accord!
RRRROOARR

VRRROAAAARRRRRRRRRR!
Je vois le drapeau syrien! Ils vont attaquer Israël, c'est sûr!
Vite, le salut militaire!
Les avions laissaient une fumée noire derrière eux.
En cinq secondes, il n'y eut plus que des petits points noirs à l'horizon.
Allez, on rentre!
Sur le chemin du retour, nous avons croisé un pépé très excité.
Allez les gamins! Détruisez Israël grâce à Dieu!
VIVE LA SYRIE! VIVE NOTRE GLORIEUSE ARMÉE! Moi aussi j'ai été pilote dans le temps!
J'ai combattu Israël!
J'ai abattu deux avions! Deux!
Eh oui! C'est beaucoup!
Et grâce à Dieu, à la fin, on sera victorieux!
Haha il est fou!
Je suis sûr qu'il disait la vérité!

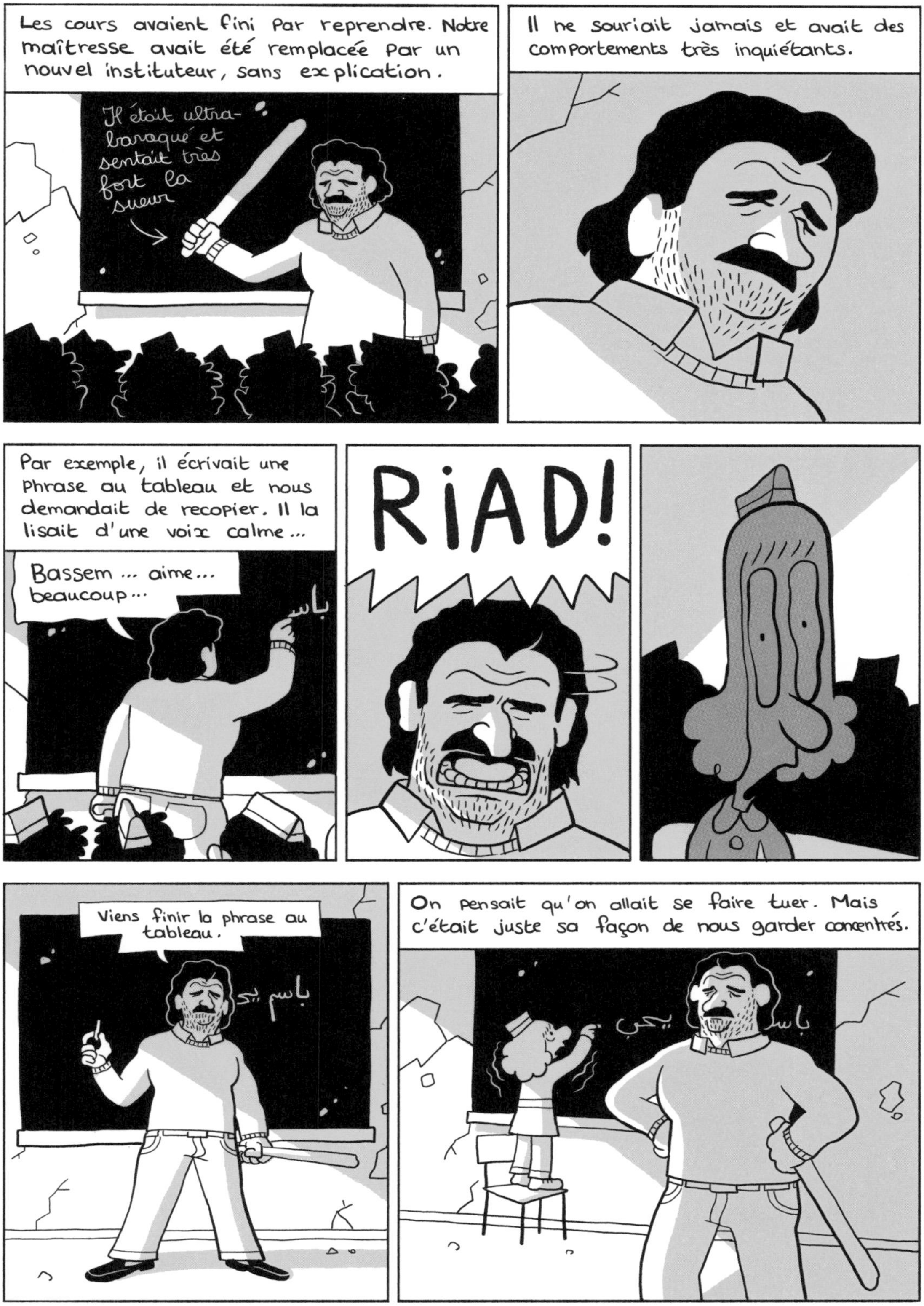

Les cours avaient fini par reprendre. Notre maîtresse avait été remplacée par un nouvel instituteur, sans explication.
Il était ultra-baraqué et sentait très fort la sueur
Il ne souriait jamais et avait des comportements très inquiétants.
Par exemple, il écrivait une phrase au tableau et nous demandait de recopier. Il la lisait d'une voix calme...
Bassem... aime... beaucoup...
RIAD!
Viens finir la phrase au tableau.
On pensait qu'on allait se faire tuer. Mais c'était juste sa façon de nous garder concentrés.

Omar, le garçon gentil qui toussait et souriait tout le temps, n'était pas revenu à l'école depuis les vacances.
Je n'ai pas de nouvelles de lui, il vient d'un autre village...
Il est peut-être parti faire son pèlerinage à La Mecque ?
Le maître ne disait plus son nom quand il faisait l'appel.
On devrait lui demander...
TING TING TI
Il va nous tuer!
TING TING
Notre nouveau maître avait des comportements très anxiogènes. Par exemple, il passait dans la rangée, sans rien dire...
TKTK TK
Des élèves se mettaient alors à discuter... Il les voyait, mais ne réagissait pas.
Il poursuivait ses allers et retours...
TKTKTK
TKTK TK
POK!
Le coup dans le dos faisait un bruit creux qui résonnait dans toute la classe.

L'élève avait le souffle coupé...
... alors le prof le soulevait quelques secondes en le tenant par les cheveux au-dessus des tempes...
RIIIAKHKHHH
C'était un cri sans air, le pire que j'aie jamais entendu
... puis le jetait sur son banc.
VLAK!
Terrifié, celui qui avait discuté avec lui ne bougeait plus...
... mais il ne lui arrivait rien...
... jusqu'à ce que, de longues minutes plus tard, alors qu'il se pensait tiré d'affaire, le prof lui fasse subir le même sort.
RHHHKKK
Ce type nous effrayait vraiment.
Nous n'avons pas osé lui demander ce qu'était devenu Omar.
Il n'est jamais revenu à l'école.
KHEU!
KHEU!

Les après-midi de libres, ma mère m'apprenait à lire et écrire le français.
J'avais horreur de ça.
Les mots étaient écrits sur des petits papiers découpés et il fallait les disposer pour faire des phrases
La méthode mettait en scène Béatrice et son ami Yves.
Ils étaient tous les deux blonds comme moi
Les dessins étaient nuls !
Les lettres s'écrivaient de plusieurs façons différentes, et changeaient parfois de prononciation
ABCDE
ABCDE
abcde
abcde
Ultra-compliqué !
L'arabe me semblait plus logique.
Yves... joue... avesse...
"AVEC"!
YVES JOUE AVEC BÉATRICE
Le français m'apparaissait comme une activité risquée où l'on pouvait multiplier les erreurs sans même s'en apercevoir.
Avec... Béatrique...
"BÉATRICE"!
YVES JOUE AVEC BÉATRICE
Je ne voulais pas apprendre cette langue.
Viens faire les exercices !
Nan mais là je joue...

Mon père était docteur d'Université, et pourtant, il n'y avait pas un seul livre à la maison, à part le Coran et mes Tintins.

Depuis toujours, je les lisais en ne regardant que les dessins.

Il y avait bien ces signes dans les bulles blanches, qui sortaient de la bouche des personnages, mais je les ignorais

Puis un jour, ces signes ont commencé à prendre sens!

ca... pi... taine ...

?!?!

Had... DOCK?

?

C'est pas du tout l'histoire que j'avais imaginée!

Ce que je découvrais était infiniment mieux que ce que je m'étais raconté. Je me mis à lire frénétiquement.

Je bouchais mes oreilles pour mieux entendre les voix des personnages

Allons, circulez! Circulez

!...Ne le

"Cirssulèze"... "Cirssulèze"...

Qu'est-ce que ça peut bien vouloir dire?

?

Le printemps était arrivé, il y avait des coquelicots partout.
L'air avait une bonne odeur d'herbe tiède.
Le mur arrière de la maison du maire s'était rempli d'hirondelles.
Un petit oiseau au ventre jaune et à la tête noire chantait partout dans le village.
Li-Li-Li ! LALALALILALALI!
Des petites fleurs violettes poussaient près de la rivière.
Nous marchions au bord de l'Oronte. Les tortues restaient sur l'autre rive, pour éviter les enfants.
Viens, je vais te montrer la source !
!!!
Tu peux boire l'eau, elle est délicieuse.

Je me demandai si c'était la source dont me parlait mon père, celle où il avait vu l'or.*
Il y avait plein de petits galets qui semblaient là depuis des siècles
En scrutant le fond, je vis une forme familière sous un caillou : un petit crabe d'eau douce !
WOAH !
À ce moment, Anas, Moktar et d'autres enfants sont arrivés.
Qu'est-ce que tu fous là, fils de chien ?
Je... J'attrape une bête !
Dégage de cette source sale juif !
Hey y a une araignée avec des pinces dans l'eau !
Alors j'ai attrapé le petit crabe.
HMPH !
AHHi !
Anas a eu si peur que j'ai vu son pantalon se couvrir de pipi !
Hiiiiiiiiiii !
PITIÉ APPROCHE PAS, PAR DIEU !
Quelques instants plus tard, il y eut un attroupement autour de moi.
HAN !
J'étais un héros !
HO !

* voir L'Arabe du futur, tome 1

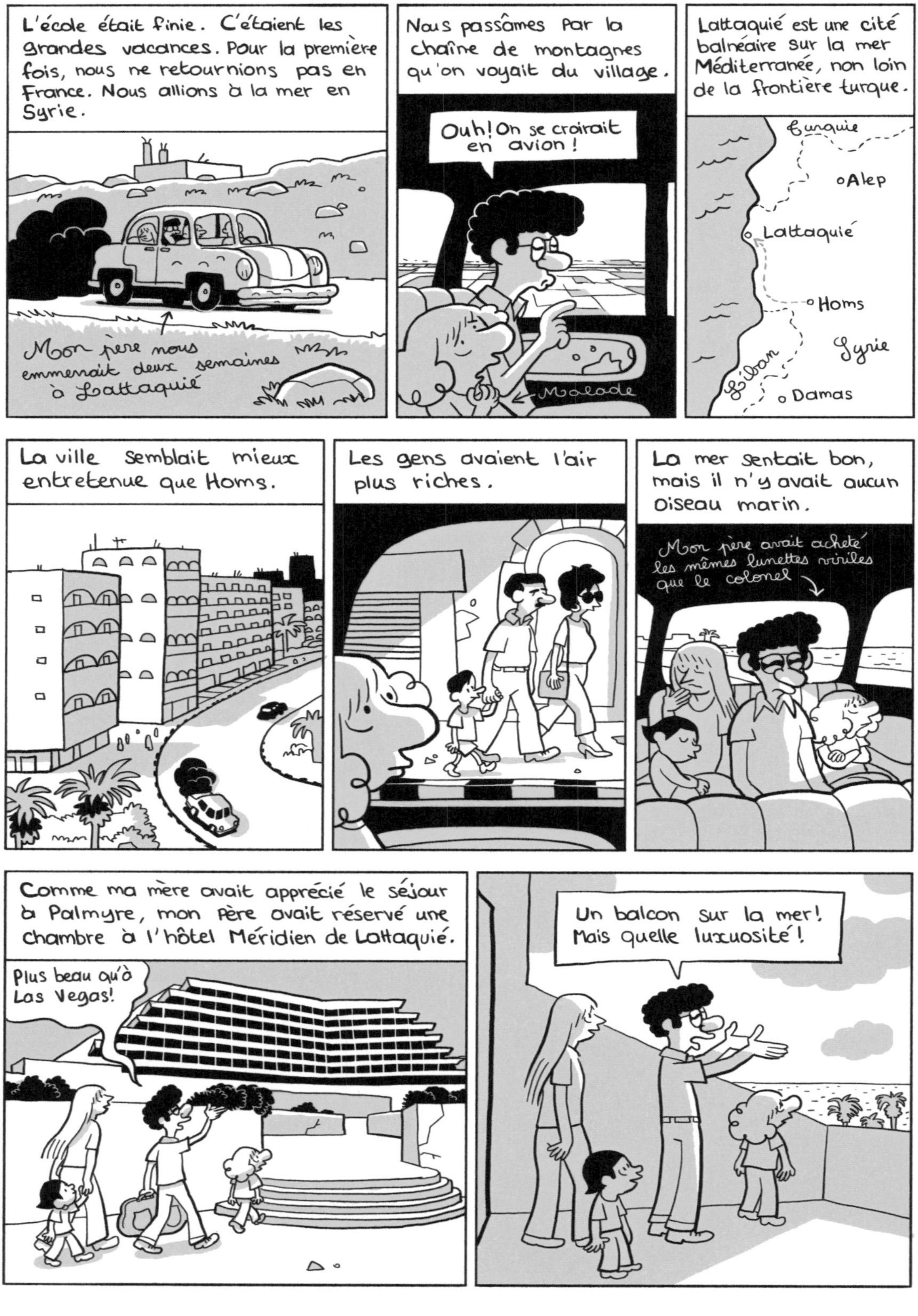
L'école était finie. C'étaient les grandes vacances. Pour la première fois, nous ne retournions pas en France. Nous allions à la mer en Syrie.
Mon père nous emmenait deux semaines à Lattaquié
Nous passâmes par la chaîne de montagnes qu'on voyait du village.
Ouh! On se croirait en avion!
Malade
Lattaquié est une cité balnéaire sur la mer Méditerranée, non loin de la frontière turque.
Turquie
Alep
Lattaquié
Homs
Syrie
Liban
Damas
La ville semblait mieux entretenue que Homs.
Lattaquié
Les gens avaient l'air plus riches.
La mer sentait bon, mais il n'y avait aucun oiseau marin.
Mon père avait acheté les mêmes lunettes viriles que le colonel
Comme ma mère avait apprécié le séjour à Palmyre, mon père avait réservé une chambre à l'hôtel Méridien de Lattaquié.
Plus beau qu'à Las Vegas!
Un balcon sur la mer! Mais quelle luxuosité!

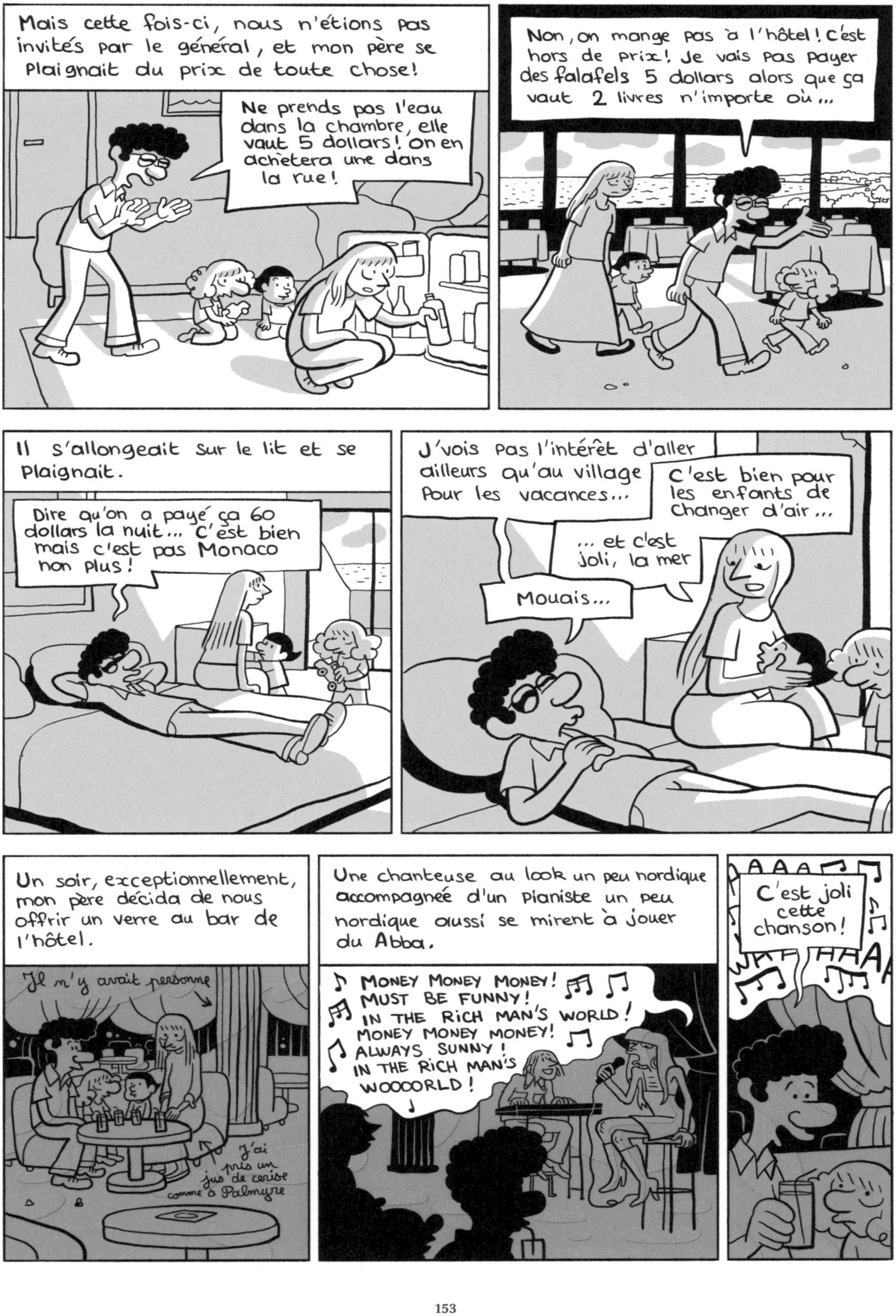

Mais cette fois-ci, nous n'étions pas invités par le général, et mon père se plaignait du prix de toute chose!
Ne prends pas l'eau dans la chambre, elle vaut 5 dollars! On en achètera une dans la rue!
Non, on mange pas à l'hôtel! C'est hors de prix! Je vais pas payer des falafels 5 dollars alors que ça vaut 2 livres n'importe où...
Il s'allongeait sur le lit et se plaignait.
Dire qu'on a payé ça 60 dollars la nuit... C'est bien mais c'est pas Monaco non plus!
J'vois pas l'intérêt d'aller ailleurs qu'au village pour les vacances...
C'est bien pour les enfants de changer d'air...
... et c'est joli, la mer
Mouais...
Un soir, exceptionnellement, mon père décida de nous offrir un verre au bar de l'hôtel.
Il n'y avait personne
J'ai pris un jus de cerise comme à Palmyre
Une chanteuse au look un peu nordique accompagnée d'un pianiste un peu nordique aussi se mirent à jouer du Abba.
MONEY MONEY MONEY! MUST BE FUNNY! IN THE RICH MAN'S WORLD! MONEY MONEY MONEY! ALWAYS SUNNY! IN THE RICH MAN'S WOOOORLD!
C'est joli cette chanson!

Nous n'allions pas à la plage, car elle était sale, et aussi parce qu'il était difficile de marcher sur le sable.
Il y avait des rainures très dures qui faisaient mal aux pieds
Nous restions au bord de la piscine de l'hôtel.
La piscine était ouverte à tout le monde, pour une somme modique. Elle ne désemplissait pas.
Elle est trop profonde pour toi ! Tu sais pas nager, tu vas te noyer...
Un type dans une petite échoppe vendait des bouées de toutes les couleurs.
PAPA ! J'EN VEUX UNE, PITIÉ !
Il n'avait aucun client
Les bouées coûtaient 300 livres syriennes : une fortune.
C'est hors de prix et tu vas l'utiliser une seule fois ! Ça sert à rien !
J'étais d'accord avec lui
Quelques jours plus tard, le type qui tenait l'échoppe s'absenta longuement, sans doute pour aller aux toilettes.
Toute la piscine le remarqua

Les gens se jetèrent sur les bouées.
C'EST GRATUIT AUJOURD'HUI!
PAPA! VAS-Y AUSSI, C'EST GRATUIT!
Une fois qu'ils avaient pris une bouée, ils partaient en courant par la plage.
On est pas des voleurs!
Et c'est pas parce que tout le monde fait quelque chose qu'il faut le faire aussi!
En cinq minutes, toutes les bouées avaient disparu et il n'y avait presque plus personne dans l'eau.
Le vendeur revint et hurla.
HAAAAA!
Il commenca à pleurer et regarda autour de lui.
HEiiiiiiKH
Il se mit à se battre avec un type qui avait une bouée dans les mains.
FILS DE CHIEN!
Allez, on s'en va!
Vu le prix qu'elle coûte, autant profiter de la chambre!

L'été passait doucement. Un jour, nous sommes allés nous promener sur le chemin qui menait à la maison du général...
... et j'ai remarqué un truc dans le champ de mon père.
PAPA! Y A DES ARBRES QUI ONT POUSSÉ DANS TON CHAMP!
Mais c'est vrai en plus!
Hihi! Il est malin celui-là! Il voit tout!
Je voulais vous faire une surprise!
Mais... c'était pas là que tu voulais faire construire notre villa?
Siiiii!
Mais j'me suis dit que maintenant qu'on est bien installés, on peut attendre un an et en profiter pour faire une récolte de fruits dans le champ...
Mais t'aurais pu m'en parler!
RHAAA!
T'y connais rien au monde de l'argent... Et tu me fais pas confiance...
C'est alors que je vis quelqu'un que je connaissais remonter le chemin.

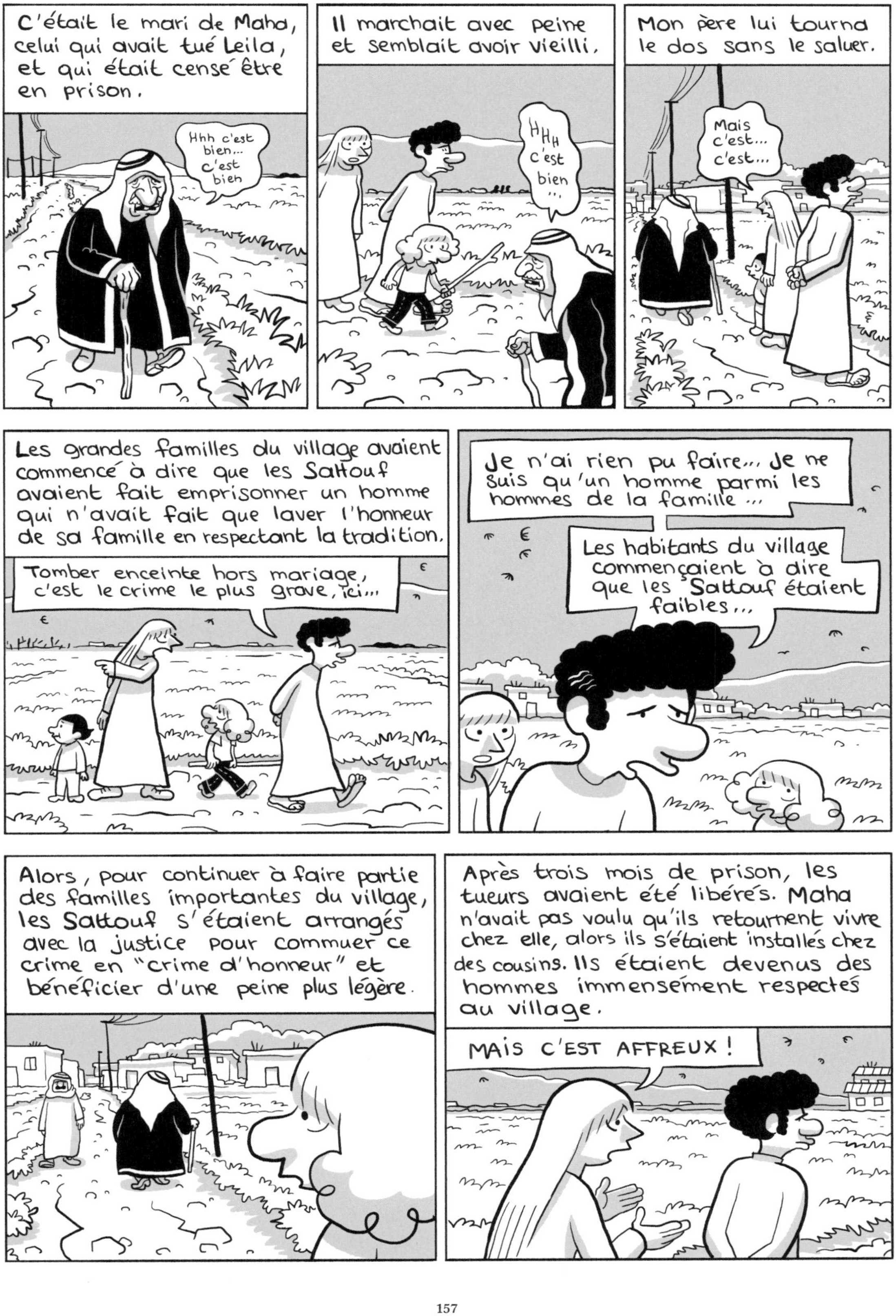
C'était le mari de Maha, celui qui avait tué Leila, et qui était censé être en prison.
Hhh c'est bien... c'est bien
Il marchait avec peine et semblait avoir vieilli.
HHH c'est bien ...
Mon père lui tourna le dos sans le saluer.
Mais c'est... c'est...
Les grandes familles du village avaient commencé à dire que les Sattouf avaient fait emprisonner un homme qui n'avait fait que laver l'honneur de sa famille en respectant la tradition.
Tomber enceinte hors mariage, c'est le crime le plus grave, ici...
Je n'ai rien pu faire... Je ne suis qu'un homme parmi les hommes de la famille...
Les habitants du village commençaient à dire que les Sattouf étaient faibles...
Alors, pour continuer à faire partie des familles importantes du village, les Sattouf s'étaient arrangés avec la justice pour commuer ce crime en "crime d'honneur" et bénéficier d'une peine plus légère.
Après trois mois de prison, les tueurs avaient été libérés. Maha n'avait pas voulu qu'ils retournent vivre chez elle, alors ils s'étaient installés chez des cousins. Ils étaient devenus des hommes immensément respectés au village.
MAIS C'EST AFFREUX !

Riad Sattouf

DU MÊME AUTEUR

L'Arabe du futur 1, 2, 3 & 4
Les Cahiers d'Esther tomes 1, 2 , 3 & 4
Allary Éditions

Pascal Brutal (4 tomes)
Fluide glacial

La Vie secrète des jeunes (3 tomes)
Manuel du puceau
L'Association

Retour au collège
Hachette Littératures

Les Pauvres Aventures de Jérémie (3 tomes)
No sex in New York
Dargaud

Pipit Farlouse (2 tomes, épuisés)
Milan

www.riadsattouf.com
Facebook.com/riadsattoufofficiel
Twitter.com/riadsattouf
Instagram.com/riadsattouf

Histoire, dessins & couleurs :
Riad Sattouf

Conception graphique :
Riad Sattouf, Julien Magnani, Olivier Marty & Pierre Brissonnet

Merci à Rami Sattouf & Jeanne-Zoé Lecorche

Collection « Images » dirigée par Guillaume Allary

Achevé d'imprimer en France en octobre 2019 sur les presses
de l'imprimerie Pollina - 91376
U30541/76

ISBN 978.2.37.073054.1
Dépôt légal : juin 2015